Les Initiés de la
Pointe-aux-Cageux

Paul de Grosbois

Les Initiés de la Pointe-aux-Cageux

COLLECTION **ATOUT**

HURTUBISE
HMH

Données de catalogage avant publication (Canada)

Grosbois, Paul de

    LES INITIÉS DE LA POINTE-AUX-CAGEUX
    (Collection Atout)
    2e éd. rev.
    Pour les jeunes à partir de 9 ans.

    ISBN 2-89428-020-3

    I. Lasser, Olivier. II. Titre. III. Collection.

PS8563.B59155 1993   jC843'.54   C93-097141-8
PS9563.B59155 1993
PS23.G761n 1993

Le Conseil des Arts du Canada a accordé une subvention
pour la publication de cet ouvrage.

Révision:
Roger Magini

Illustrations intérieures :
Olivier Lasser

Illustration de la couverture :
Pierre Massé

Maquette :
Nicole Morisset

Mise en page :
Mégatexte

Éditions Hurtubise HMH
7360, boulevard Newman
Ville LaSalle (Québec)
H8N 1X2
Canada
Téléphone : (514) 364-0323

Dépôt légal / 3e trimestre 1993
Bibliothèque nationale du Québec
Bibliothèque nationale du Canada

À Philippe et Olivier

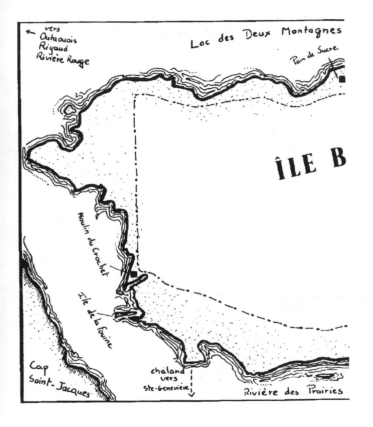

I

LA TOUR DU DIABLE

1853, un soir d'avril

La nuit arrivait vite et il pleuvait abondamment, une pluie drue, froide, bruyante.

François-Xavier Boileau avançait rapidement et se frayait un chemin à travers les buissons tissés serrés en donnant vigoureusement de grands coups de faucille. Les branches fouettaient sa figure et son grand chapeau de feutre bleu tombait constamment.

— Venez, on arrive !

Derrière lui, trois compagnons suivaient : Onézime Ladouceur, Félix Brayer et Elmire Sauvé. Eux aussi avaient des faucilles qu'ils maniaient avec facilité, souplesse et efficacité.

Une heure plus tôt, ils avaient quitté la route pour s'enfoncer dans ce sombre sentier étroit et sinueux. La fatigue se lisait sur leurs visages ruisselants; le doute aussi : ils ne savaient pas vraiment où ils arriveraient.

François-Xavier, lui, était convaincu qu'il était sur la bonne piste. En dépit de ses neuf ans et bien qu'il fût plus jeune que ses compagnons — Onézime avait quatorze ans, Félix et Elmire onze —, il affichait un courage et une ténacité qui incitaient les autres à le suivre.

Il s'arrêta brusquement et sortit une vieille carte de l'intérieur de sa veste détrempée.

— Baissez-vous un peu, demanda-t-il.

Le quatuor s'arc-bouta pour protéger le précieux parchemin de la pluie battante.

— Mets la lanterne au-dessus, Elmire.

Lui seul semblait comprendre les signes innombrables inscrits sur le document.

— C'est bien ici pourtant. Nous sommes tout près, j'en suis sûr.

La foudre tomba. Ils relevèrent la tête.

— ATTENTION!

François-Xavier avait crié à tue-tête en bousculant ses camarades; le groupe alla choir dans les buissons truffés d'épines et Félix évita de justesse la faucille d'Elmire qui faillit le défigurer.

Au même moment, un chêne énorme s'écrasa tout près d'eux dans un fracas assourdissant. L'arbre était massif et, après sa chute, il avait rebondi vers eux; Onézime eut juste le temps de replier une jambe que le chêne aurait sûrement réduite en bouillie.

Quelques instants plus tard, péniblement, ils se relevèrent, s'appuyant les uns sur les autres.

— Rien de cassé? demanda François-Xavier.

— Oui..., répondit faiblement Elmire.

Six yeux se tournèrent vers lui.

— Le fanal..., dit-il en souriant, le fanal est brisé.

Quelque peu soulagés, ils pensèrent immédiatement au retour : l'épuisement, l'orage et les dernières émotions avaient raison de leur persévérance.

— Regardez! cria subitement François-Xavier.

Debout sur l'immense tronc qui barrait leur chemin, il pointait l'index vers une masse brune qui s'élevait très haut dans le ciel.

— La tour? murmura Elmire, incrédule.

— La tour..., répéta Onézime.

— La Tour du Diable! confirma François-Xavier, nous y sommes. Venez!

— Depuis le temps qu'on la cherche, ajouta Félix, qui replaçait ses longs cheveux pour mieux voir.

La pluie diminua d'intensité. De toute façon, depuis l'apparition du pic rocheux, ils ne la sentaient plus. Ils reprirent leurs faucilles et franchirent en silence la trentaine de mètres qui les séparaient de leur but.

La Tour du Diable était, selon le grand-père de François-Xavier Boileau, une grosse formation rocheuse plantée au milieu d'un champ, non loin d'un cours d'eau. La légende disait qu'elle était apparue il y avait une centaine d'années, à la suite d'une colère du Diable, lequel aurait tenté de sortir du centre de la terre pour punir ceux qui défrichaient la région alors recouverte de forêts.

Mais Dieu avait décidé d'intervenir : une forte pluie miraculeuse, au cours d'un orage spectaculaire, avait figé l'excroissance rougeâtre pour l'éternité. La réponse divine avait été la plus forte.

Certains anciens du village racontaient qu'il existait un passage souterrain qui permettait d'accéder à l'intérieur de la tour. Aussi, couraient des rumeurs voulant que des voyageurs en connaissaient l'entrée, qu'ils y allaient de temps à autre pour s'y réfugier les soirs de grand froid ou pour y festoyer secrètement à la lueur des «pierres de feu».

Les pierres de feu, toujours selon la légende, étaient des roches lumineuses qui ne s'éteignaient jamais et qui éclairaient l'intérieur de la caverne; le Diable les y aurait laissées en prévision d'un retour probable...

Récemment, en remettant de l'ordre dans les placards de la sacristie, François-Xavier avait découvert une carte en soulevant une liasse de documents et un vieux parchemin poussiéreux était tombé par terre. Curieux, il l'avait examiné et avait reconnu immédiatement les mots «Tour du Diable» encerclés par quelqu'un qu'il soupçonnait être le curé de la paroisse. Intrigué, il l'avait enfoui dans sa poche sur-le-champ.

Quelques jours plus tard, il avait montré le parchemin à son ami Elmire Sauvé et lui avait manifesté son désir de s'approprier une pierre de feu. Elmire avait alors proposé de s'adjoindre des compagnons plus âgés pour l'expédition; ceux-ci, avides d'aventure, avaient accepté d'emblée, d'autant plus qu'ils avaient aussi déjà vaguement entendu parler de la Tour du Diable.

Ils arrivèrent au pied de la falaise.

La pluie cessa. Poussés par un vent fort, les nuages se dispersèrent rapidement pour laisser place à la pleine lune.

— C'est bien de la pierre rouge, dit Elmire qui avait déjà ramassé quelques cailloux.

— Et pas très solide. Regardez...

Félix grattait la tour avec le bout de sa faucille; la roche s'effritait facilement.

— J'ai froid, dit Onézime.

— Allons de l'autre côté, dit François-Xavier. On y verra plus clair et on sera à l'abri du vent.

Ils longèrent la paroi qui était dénuée de toute végétation, ce qui facilita grandement leur progression.

Elmire avait pris la tête du peloton et conduisait le groupe énergiquement. Lui aussi sentait le froid traverser ses vêtements humides et il tentait, en s'activant avec vigueur, de se réchauffer. Félix fermait la marche et suivait péniblement François-Xavier qui murmurait une chanson dont il ne parvenait pas à entendre les paroles. S'approchant pour mieux l'écouter, il fut saisi en voyant le bas du pantalon de son compagnon.

— François-Xavier, arrête! ordonna-t-il sèchement.

Ce dernier, peu habitué à s'entendre parler sur ce ton, s'immobilisa aussitôt; intrigué, il amorça un demi-tour pour exiger des explications.

— Bouge pas! insista Félix. Ne... bouge... pas...

Il avait bien séparé chaque mot et François-Xavier comprit alors que ce qu'il avait pris pour de la mauvaise humeur était en fait de l'inquiétude, de la peur : Félix l'avertissait d'un danger.

— Que se passe-t-il? demanda-t-il, hésitant.

— Ne bouge pas, répéta Félix lentement. «C'est» autour de ton pied gauche...

Elmire et Onézime revenaient vers eux en se demandant ce qu'ils pouvaient bien fabriquer.

— Alors, vous arrivez ou qu...?

Félix, faucille à la main, leur fit signe de ne pas s'approcher et de ne pas crier; il n'avait pas levé la tête et il fixait toujours les bottes de François-Xavier. Tous suivirent son regard et comprirent : un long serpent noir s'enroulait autour de son pied gauche et hésitait entre pénétrer dans la botte ou longer la jambe.

François-Xavier était en sueur et commençait à trembler.

— Je sens quelque chose... Qu'est-ce que c'est? demanda-t-il à voix basse.

— Un serpent, répondit doucement Félix. Un gros. Ne bouge pas; je vais lui donner un coup de faucille.

Félix s'approcha lentement jusqu'à lui, leva le bras bien haut, se préparant à trancher d'un seul coup le reptile menaçant.

Au même moment, la lumière de la lune reflétée sur la lame de son arme se dirigea vers les yeux du serpent qui, affolé, émit un sifflement aigu et s'enroula plus fort autour de la jambe de François-Xavier.

Ce fut la panique : Félix perdit pied et tomba à la renverse; Elmire et Onézime, oubliant le danger, se précipitèrent sur le serpent et tentèrent désespérément de le dérouler. La bête renforçait son étreinte et donnait de violents coups de tête, cherchant à mordre les mains de ses agresseurs. Dans la bousculade et la confusion, François-Xavier tomba et s'assomma sur la Tour du Diable.

Un peu plus tard, il perçut à nouveau une pression très forte sur son genou gauche; mais cette fois-ci, c'était différent et il ne parvenait pas à identifier ce qui le touchait.

— François..., réveille-toi..., réveille-toi...

Encore en sueur, il se redressa d'un seul coup et ouvrit grand les yeux. Près de lui, il vit son frère Moïse et sa mère, la main sur son genou gauche. Il était dans son lit...

— C'est presque le temps de partir pour l'école... Lève-toi, dit la femme calmement.

— Encore un rêve? lui demanda Moïse.

François-Xavier retomba sur son oreiller et murmura quelques mots en fermant les yeux. Moïse quitta la chambre en trombe et cria à sa mère qui était déjà de retour à la cuisine :

— Apporte la chaudière... Vite! Il va être malade.

Ce jour-là, François-Xavier Boileau n'alla pas à l'école...

II

«FÉLIX, QUELQU'UN NOUS SURVEILLE...»

Le même jour, à l'école

— Tu es bien sûr de ce que tu me racontes? demanda Félix à Moïse.

— Je te le jure! Il m'a dit tout ça d'une seule traite ce midi : la tour, la caverne, le serpent et les pierres de feu...!

— Qui d'autre était dans son rêve à part Onézime et moi?

— La Fouine.

— Elmire?... Tu as parlé, Moïse. S'il sait tout ça, c'est que tu as parlé... Et ta pierre de feu, elle est sous ton oreiller, je suppose?

— Je n'ai rien dit, Félix. Rien. À moins que je n'aie parlé en dormant, je ne sais pas. Mais cette nuit, c'est Xavier qui parlait et qui bougeait : le lit a brassé toute la nuit et ce matin toutes les catalognes étaient mêlées. Ma pierre de feu est enterrée dans la grange; personne ne sait où elle se trouve. Personne! Pourquoi fais-tu tant d'histoires? Tu n'as rien dit pour les Sauvé? Tu n'as rien dit pour Onézime?

— François-Xavier a neuf ans! Aucun de nous n'a fait ce rêve si jeune! Et puis je ne pense pas qu'il pourra nous suivre partout. Surtout l'été prochain.

— Qu'y a-t-il de plus, l'été prochain? Xavier est bien capable de nous aider à construire nos cabanes et de poser des pièges.

— L'été prochain, ça pourrait être bien différent, dit Félix, songeur. Écoute, Moïse, je vais en parler aux autres et je t'en donnerai des nouvelles. D'ici là, pas un mot à François-Xav...

Une voix l'interrompit.

— Alors, il arrive ce bois? Grouillez-vous un peu, on gèle dans l'école!

Leur institutrice, Félicité Laurin, leur avait confié la corvée du bois pour la semaine. Moïse et Félix aimaient bien ces responsabilités périodiques : ça leur permettait de quitter la classe de temps à autre, de prendre l'air et surtout d'aller se raconter leurs dernières découvertes à l'abri des oreilles indiscrètes. À la récréation, il y avait toujours trop de monde autour d'eux pour risquer de telles conversations.

— Oui, mademoiselle, on arrive! lui cria Moïse Boileau.

Puis, à Félix :

— On s'en reparle?

— Oui, oui. Rentrons.

Ils prirent chacun une pleine brassée de bois, traversèrent la petite cour, entrèrent dans l'école et déposèrent les bûches près du poêle installé au centre de la classe.

En retournant à son pupitre, Félix fixa les yeux d'Elmire Sauvé et ceux d'Onézime Ladouceur pour leur faire comprendre qu'il voulait leur parler à la fin de la journée. Ils acquiescèrent.

— Félix Brayer! l'interpella l'institutrice.

Convaincu qu'il était découvert, il se tourna brusquement vers elle et commença à balbutier une explication sans queue ni tête. Elle l'interrompit :

— Allez chercher de l'eau au lac pour laver les ardoises.

Rassuré, Félix sourit et traversa la classe comme s'il avait des ailes : c'était, et de loin, la tâche qu'il préférait. Il s'empara du seau de bois posé près de la porte — la chaudière de tôle servait pour l'eau à boire — et disparut aussitôt.

Il dévala le sentier de la petite colline à toutes jambes pour avoir plus de temps à sa disposition au bord du lac. Une fois sur place, il remplit la chaudière de bois jusqu'au bord. L'eau était encore très froide; les dernières glaces n'étaient passées que la semaine précédente.

Il s'assit sur «sa» grosse roche et commença à rêvasser en scrutant l'horizon du lac des Deux-Montagnes. Il imaginait les cageux arrivant en grand nombre sur leurs immenses radeaux qu'ils conduisaient jusqu'à Québec.

Il les voyait qui lui envoyaient la main, lui faire signe de monter avec eux; il se voyait sur une cage entre Gatien Claude, Jérémie Claude et Benjamin Sauvé, trois voyageurs issus de l'île, de son île. Il sentait son cœur se serrer à l'approche du rapide, ses muscles se tendre sur la longue rame.

— À quoi tu penses, Félix?

Bien que très douce, la voix d'Émilie Sauvé, la sœur d'Elmire, le fit sursauter et tomber de sa roche.

— Tu penses aux cageux, n'est-ce pas? poursuivit-elle en s'asseyant près de lui.

— Oui, j'y pense, avoua-t-il. Si l'école peut finir!

— Il ne te reste que deux semaines, ajouta-t-elle comme pour l'encourager.

— Tu es chanceuse, toi: tu es trop vieille pour aller à l'école.

Émilie avait seize ans. Plus grande et plus forte que ses compagnons, elle les tirait souvent d'embarras, autant par ces attributs que par son esprit vif.

— C'est toi le chanceux: tu sais lire, écrire, tu peux faire des plans. Moi, je travaille dur toute la journée.

— Il faut que je te parle de quelque chose, reprit Félix. François-Xavier Boileau a rêvé. Il a fait «le» rêve, «notre» rêve...

Félix lui raconta en détail le récit de Moïse. Emporté, il faisait de grands gestes et parlait fort. Émilie, qui tournait le dos au lac lui fit signe de se taire et lui mit les doigts sur la bouche.

— Félix, quelqu'un nous surveille, là-haut...

Il se retourna immédiatement, courut vers le sentier et, regardant tout au bout, il aperçut une ombre qui disparaissait. Il repensa au seau d'eau, revint rapidement sur ses pas, saisit la chaudière en vitesse et reprit sa poursuite en criant à Émilie :

— On en reparlera samedi... à la Pointe-aux-Cageux!

Émilie haussa les épaules et reprit sa route en longeant la rive. Elle jeta un coup d'œil en direction du lac, s'arrêta et revit en pensée Félix assis sur sa roche. «Qu'est-ce qu'il mijote, celui-là?» se demanda-t-elle.

Arrivé sur la butte, Félix ne vit personne mais il se rendit compte que son seau était à moitié vide. Il aperçut, dans l'embrasure de la porte de l'école, Félicité Laurin qui l'attendait. Dans l'impossibilité de redescendre, il se dirigea piteusement vers elle, convaincu d'entendre un sermon exemplaire. Ce qu'elle fit.

— Vous en avez mis du temps, Félix! On ne peut donc pas se fier à vous? Vous saviez ce qu'on se demandait, nous, pendant que vous jouiez au bord de l'eau? Nous pensions que le courant vous avait emporté! Mais je vois qu'il n'en n'est rien, que monsieur Brayer s'amusait à poursuivre des fantômes... Passez-moi ce seau!

Elle le lui retira des mains et constata le manque d'eau. Elle repartit de plus belle :

— Et de plus, il n'est même pas plein! C'est la dernière fois, Félix, la dernière fois que je vous le demande! Allez à votre pupitre. Ce soir, après la classe, c'est vous qui laverez toutes les ardoises! Allez!

Félix se dit que sa colère était exagérée, qu'elle perdait son souffle en parlant si vite; il ne comprenait pas ce qui lui valait un tel déchaînement. Il voulut s'excuser mais il ne put placer un mot.

Puis, la punition lui revint à l'esprit : «Toutes les ardoises...» Chacun en avait une : trente-huit ardoises à laver. Trente-sept, en fait : François-Xavier Boileau était malade. Habituellement, quelques minutes avant la fin de la classe, midi et soir, chacun allait frotter son ardoise avec le chiffon qu'il trempait d'abord dans l'eau du seau de bois. Félix saisit l'ampleur de la tâche (au moins une bonne demi-heure) et les conséquences : il ne pourrait parler à Onézime et à Elmire du rêve de François-Xavier.

Quand tous furent partis, Félix entreprit silencieusement sa corvée en nettoyant d'abord les ardoises des plus jeunes qui avaient terminé la journée par un dessin, alors que les plus vieux avaient fait du calcul.

Assise à son large bureau disposé au centre de l'estrade — son territoire sacré —, Félicité Laurin corrigeait les cahiers des plus grands avec son crayon rouge. Chaque trait suscitait autant de crainte que de fascination : il soulignait une erreur mais redonnait de la vie aux pages uniformément grises des cahiers.

— Mademoiselle...

— Oui, Félix.

— Je peux-tu prendre l'eau à boire et l'ajouter à l'autre? Ça m'en ferait plus et les ardoises seraient plus propres...

— «Est-ce que», Félix, «est-ce que». Quand on pose une question, on dit : «est-ce que...?» Oui. Vous pouvez la prendre.

Elle lui avait répondu calmement. Félix se sentait rassuré de constater que sa colère était tombée. Elle reprit la parole.

— Que faisiez-vous donc à la rivière, Félix?

— Je parlais...

En disant ces mots, il se rendit compte de la bévue mais il était trop tard.

— Et à qui parliez-vous? enchaîna-t-elle aussitôt.

— À... à personne. Je parlais tout seul...

— C'est rare ça, Félix. Très rare. Ça vous arrive souvent?

Il vit bien qu'elle ne le croyait pas. Il courut le risque de ne pas répondre. Le silence se réinstalla, très vite insupportable. Il tenta une diversion.

— Mademoiselle...

— Oui, Félix.

— Est-ce que on aura du papier l'an prochain?

— «Est-ce qu'on» aura du papier, Félix; devant une voyelle, on met une apostrophe. Je ne sais pas si on aura du papier; mademoiselle de Montigny et moi en avons demandé à monsieur le curé pour

l'an prochain mais je ne sais pas s'il accé-
dera à notre demande.

— Qui c'est, mademoiselle de Montigny?

— «Qui est-ce», Félix, «qui est-ce». Mademoiselle de Montigny est l'institutrice à
l'école du village. Mais, j'y pense, Félix,
votre père est marguillier, non?

— Oui.

— Pourquoi ne pas lui en parler?

— C'est-tu lui... Est-ce que c'est lui qui
décide si nous aurons du papier?

— Disons qu'il a son mot à dire dans
l'organisation de la paroisse. Et comme
l'école dépend de la fabrique, il pourrait en
parler à monsieur le curé...

Félix se rendit compte qu'il pouvait avoir
une certaine influence et améliorer ainsi
sa relation avec l'institutrice. S'il réussis-
sait à convaincre son père, il ferait d'une
pierre deux coups : plus d'ardoises et une
certaine sympathie de la part de Félicité
Laurin.

— Je lui en parlerai ce soir, mademoiselle.

L'institutrice était très contente, elle
aussi.

— Allez-vous en maintenant, Félix. Il fait noir assez tôt encore.

— Mais je n'ai pas terminé...

— Vous finirez demain matin. Allez, ouste, garnement!

Quelques instants plus tard, alors qu'elle était encore assise à son bureau, l'institutrice vit à la fenêtre passer Félix Brayer sur son poney. Elle se leva et, songeuse, le regarda s'éloigner un long moment.

Quant à Félix, il était partagé : il était heureux qu'une situation aussi difficile ait pu tourner rapidement en sa faveur; cependant, une question restait en suspens : qui donc avait écouté sa conversation avec Émilie Sauvé?

Le samedi suivant,
à la Pointe-aux-Cageux

— Qu'est-ce que t'en penses, la Fouine? demanda Onézime Ladouceur.

— Il devrait faire partie des nôtres.

«La Fouine» était le surnom donné à Elmire Sauvé en raison des longues heures qu'il passait à arpenter les berges du côté sud de l'île Bizard à la recherche de fossiles, de vieilles chaînes et toute une panoplie d'objets insolites abandonnés par l'homme ou la nature. Il rapportait ces trésors dans une baie, près du moulin du Crochet, et les cachait à un endroit que lui seul connaissait. C'est d'ailleurs là qu'il avait dissimulé sa pierre de feu reçue le jour de son admission dans le groupe.

Aujourd'hui, il était le dernier à parler : lors d'une décision importante, on laissait un des plus âgés s'exprimer, ensuite un des plus jeunes ; on revenait à un plus vieux en alternant, et ainsi de suite, jusqu'à ce que tous se soient prononcés.

Il fallait décider si François-Xavier Boileau pouvait participer aux activités du groupe. Émilie, Onézime, Moïse et la Fouine étaient en faveur, alors que Félix était contre : il continuait de croire que François-Xavier était trop jeune, qu'il pouvait commettre des indiscrétions et livrer leurs secrets à toute l'île Bizard. Toutefois, devant l'unanimité des autres et l'assurance donnée par Moïse sur le sérieux de son frère, il se ravisa et consentit à son intégration. La Fouine proposa alors d'inviter François-Xavier à se joindre à eux dans deux semaines, après la fin des classes. L'accueil aurait lieu au moulin du Crochet et une pierre de feu lui serait remise.

— C'est loin, le moulin du Crochet, opposa Moïse.

— C'est loin mais c'est tranquille, répondit Émilie. Chaque fois qu'on fait un feu, les parents arrivent, il faut discuter... Au moins, là-bas, on pourra faire ce qu'on veut.

— Et je pourrais vous montrer mes découvertes du printemps, renchérit la Fouine. La glace m'a laissé de belles surprises...

— Comme quoi? demanda Félix.

— Tu verras, tu verras, répondit-il, taquin. Vous ne voulez jamais venir avec moi, alors attendez.

— Bon! Samedi dans deux semaines, après le souper, confirma Moïse en se levant. François-Xavier va être content, lui qui vient juste d'avoir son poney...

— Il y a autre chose, dit Félix, en cherchant l'attention de tous.

Moïse se rassit sur la longue roche plate.

— Quelqu'un nous surveille, reprit Félix. Je parlais avec Émilie, jeudi, au bord de la rivière, et quelqu'un nous écoutait en haut du sentier... Qui est sorti de la classe quand je suis allé chercher l'eau pour les ardoises?

— Personne, il me semble, répondit Moïse.

— Personne, confirma Onézime. Moi, je suis près de la porte et personne n'est sorti. Je suis sûr de ça.

— Alors, c'est quelqu'un qui ne va pas à l'école, conclut Félix. Il faudra être prudent. Moïse, fais donc le tour de la pointe avec la Fouine; on ne sait jamais.

La Pointe-aux-Cageux était une longue bande de terre située au nord de l'île Bizard, juste avant le rapide. Les habitants de l'endroit l'appelaient ainsi parce que les voyageurs de rivière, les cageux, avaient pris l'habitude de s'y arrêter la nuit avant d'affronter les eaux tumultueuses et les remous que le rétrécissement subit du cours d'eau provoquait.

La baie était grande et l'espace pour y ancrer les cages ne manquait pas. De plus, comme la pointe avançait loin dans l'eau, l'endroit était facile à repérer; les retardataires n'avaient qu'à mettre le cap sur le grand feu alimenté en permanence à son extrémité par ceux qui y étaient déjà arrivés.

L'automne précédent, Félix Brayer avait suggéré à ses amis de tenir leurs rencontres à cet endroit plutôt qu'au Pain de Sucre, cette haute colline abrupte où il ventait toujours très fort. Du Pain de Sucre, il est vrai, on voyait partout : le lac des Deux-Montagnes jusqu'à la Pointe-aux-Cageux et, au sud, la montée du milieu jusqu'à la côte rouge. C'était en quelque sorte un poste d'observation idéal et stratégique. Mais il fallait y monter, et pas toujours dans les meilleures conditions; plus d'un s'y était frotté la peau du ventre au lendemain d'une pluie. On résolut donc de ne gravir le Pain de Sucre qu'au besoin. De plus, la proposition de Félix comprenait un côté pratique qui fut déterminant : quand les cageux partaient, les aventuriers se rendaient aussitôt à la pointe pour y ramasser ce qui pouvait être utile à l'aménagement de leur cabane, au pied du Pain de Sucre.

Les cageux abandonnaient toujours quelque chose : morceaux de rames brisées, vaisselle oubliée, vieux vêtements déchirés, hache ou couteau plantés dans un tronc, cruches vides. Connaître l'endroit en détail amenait des découvertes plus fructueuses et s'y rencontrer était un bon moyen d'y parvenir. C'était, il va sans dire, un lieu que la Fouine chérissait particulièrement.

— Nous n'avons vu personne, annonça Moïse à son retour.

— Tu as perdu la Fouine ? demanda Félix.

Moïse ne répondit pas. Son haussement d'épaules et l'expression de son visage suffirent à faire comprendre que, de toute évidence, la question ne se posait pas. Tous devinèrent qu'Elmire était resté à fureter au bord de la rivière.

Onézime Ladouceur prit la parole.

— Tandis qu'on est tous ici, j'ai une nouvelle à vous apprendre : je ne pense pas pouvoir traîner avec vous très souvent cet été...

— Pourquoi ça ? demanda Moïse.

— Parce que je vais devoir travailler plus à la ferme; je suis le fils aîné à la maison maintenant... maintenant que...

— Comment ça le plus vieux? l'interrompit Félix. Et Jules, lui?

Le visage d'Onézime s'assombrit.

— Jules ne reviendra pas à la ferme, dit-il. Mes parents ont reçu une lettre, hier. Il reste au chantier. Il trouve ça plus payant que la terre. Il va descendre des cages à Québec avec les autres.

Les autres, c'étaient les nombreux jeunes de l'île qui, à l'époque, avaient délaissé famille et ferme pour mener la vie trépidante des voyageurs.

— Les semis vont commencer bientôt, poursuivit-il, il faut que j'aide...

— On peut t'aider, nous autres..., dit Félix, mal assuré.

— Mais non. Et tu le sais très bien, Félix. Chez vous aussi il y a des champs à la grandeur, plein de choses à faire tout l'été. Je viendrai moins souvent, c'est tout.

— On peut chercher une solution chacun de notre côté et en reparler au moulin du Crochet dans deux semaines...? esquissa Émilie.

— Moi, je vais en parler à François-Xavier, ajouta Moïse. Il aura sûrement une idée.

Félix se leva, se retira et cria en direction de la rivière :

— Elmire! La Fouine! Arrive!

Puis, il ajouta pour les autres :

— Qu'est-ce qu'il fabrique celui-là? Jamais là quand on a besoin de lui...

— C'est pas de la faute à la Fouine ce qui arrive, Félix, reprit Onézime. C'est Jules qui est parti...

La Fouine apparut à travers les branches, les vêtements poussiéreux, le visage en sueur.

— Regardez ce que j'ai trouvé! clama-t-il, triomphant.

D'une main, il traînait une chaîne très longue et très fine mais apparemment résistante; elle était à peine rouillée. De l'autre, il tirait avec force un câble qu'il avait passé sur son épaule pour améliorer la traction; au bout du câble, une poulie double qui s'accrochait partout.

— Qu'est-ce que c'est que ces cochonneries-là? demanda Félix, hargneux!

Sans lui répondre, la Fouine passa le câble autour d'une branche solide de façon à faire monter la poulie dans laquelle il avait auparavant glissé la chaîne. Il enroula le câble autour de l'arbre pour que le tout tienne bien en place.

La poulie était maintenant à trois mètres du sol et la chaîne double descendait sur un énorme billot. Aidé des autres, il l'attacha soigneusement avec une des extrémités de la chaîne. Puis, reculant de quelques pas, il saisit l'autre bout de la chaîne entre le pouce et l'index.

«Il est complètement fou, pensa Félix : lever une bille pareille à deux doigts...» Mais, à la surprise générale, l'impossible se produisit : grâce à un engrenage spécial dans la poulie, le tronc se souleva de terre sans que la Fouine eut à forcer plus qu'avec une seule main!

Tous étaient sidérés.

— Et vous n'avez pas tout vu, dit fièrement Elmire qui songeait à ses autres trouvailles printanières. Cet appareil-là peut servir à quelqu'un qui n'est pas très fort ou qui a des grosses charges à lever, mais l'autre jour, j'ai ramassé un pieu qui...

Plus personne ne l'écoutait. Tous s'étaient tournés vers le frêle Onézime qui souriait.

La Fouine ne comprenait pas. Ils lui expliquèrent sa nouvelle situation, à la suite de quoi le garçon décida immédiatement de faire cadeau du treuil à Onézime, pour qu'il l'utilise dans la grange.

— J'aurai peut-être autre chose pour toi dans deux semaines. Je regarderai dans mes affaires...

Émilie s'approcha de Félix et lui souffla à voix basse :

— Tu voulais savoir ce qu'il fabriquait? Tu le sais maintenant, Félix Brayer, ce qu'il fabrique. Il ne fait pas que parler, lui : il agit. Bonjour!

Elle monta sur son cheval et disparut à vive allure.

Félix demeura figé. Autant par ce qu'il venait de voir que par ce que lui avait dit Émilie. Il en oublia même son projet d'été auquel il ne repensa qu'une fois le soir venu. «J'en parlerai au moulin du Crochet, se dit-il, ça ne presse pas.» Pour l'instant, il laissait naître en lui une autre rêverie, mais cette fois avec un nouveau personnage : Jules Ladouceur, le cageux...

III

Mystère à la rivière Rouge

Au chantier,
un après-midi d'avril

— Enfin l'printemps!

Jules Ladouceur prenait de grandes respirations en relevant les manches de sa chemise et savourait la chaleur du soleil sur ses bras.

Son premier hiver au camp se terminait. Il l'avait trouvé long et froid. Debout à cinq heures, il devait aider le cuisinier à préparer le déjeuner et une partie du dîner. Vers neuf heures et demie, les bûcherons, au travail depuis plusieurs heures déjà, venaient engloutir une avalanche de crêpes qu'ils inondaient de mélasse. C'est seulement après ce repas que son «travail de bois» à lui commençait.

— Y a pas la carrure d'un bûcheux, avait dit le *foreman*[1] à son arrivée au camp. Y va être charretier.

Les plus robustes étaient engagés comme bûcherons et les autres devenaient charretiers ou claireurs[2].

Jules aidait les hommes à charger son traîneau qu'il conduisait ensuite jusqu'à la rivière ; il y déversait les longues billes dégrossies et équarries par les «grand' haches».

Autre signe du printemps : depuis quelques jours, son traîneau ne cessait de s'enliser dans un mélange de boue et de neige. Les claireurs n'avaient aucun répit : chaque cent mètres, le long des chemins de bois, ils cordaient des branches que les charretiers tentaient de glisser sous les lames de leurs traîneaux en attendant de l'aide ; de plus, ils épandaient de la neige aussitôt les chargements passés pour essayer, tant bien que mal, de combler les rigoles creusées dans leur sillage.

---

1. *Foreman* : contremaître, en anglais.
2. Claireur : homme de chantier qui avait pour tâche de préparer la route aux charretiers.

Les chevaux aussi souffraient de la fonte des neiges : leur charge était plus difficile à tirer, leurs sabots s'enfonçaient à tout moment et le charretier sortait souvent son fouet pour les activer.

En dépit de ces conditions difficiles, cet après midi-là Jules Ladouceur arriva à la cantine de très bonne humeur. Il avait embarqué le *foreman* au passage; celui-ci avait pris place à ses côtés sur la petite banquette et lui avait appris deux bonnes nouvelles coup sur coup : le *cook*[3] avait reçu du sirop d'érable et préparerait pour le soir un «souper de cabane» (Jules salivait déjà...); il quitterait donc son travail vers seize heures pour aller donner un coup de main à la cuisine.

Cet imprévu lui plaisait bien : en fin d'après-midi, la température changeait brutalement et il frisonnait souvent; une fin de journée plus clémente s'annonçait donc.

L'autre nouvelle le réjouit davantage : il partirait dans une semaine pour l'Outaouais et irait rejoindre les cageux

3.   *Cook* : cuisinier, en anglais.

pour la préparation des cages. Jules faillit tomber du traîneau tellement il était content et excité.

— Y porte pas à terre parce qu'y va faire une *run*[4] de cage, avait dit le *foreman* aux bûcherons qui s'étonnaient de l'entendre chanter à tue-tête.

En effet, bien qu'il dételât ses chevaux derrière le grand bâtiment qui servait de salle à manger, tous, à l'intérieur l'entendaient hurler :

La yousse qui sont tous les raftman
La yousse qui sont tous les raftman
Bing sur le ring, bang sur le rang
Laissez passer les raftman
Bing sur le ring bing bang!

S'sont mis à fair' du bois carré
S'sont mis à fair' du bois carré
Pour leur radeau bien emmancher
Pour leur radeau bien emmancher
Bing sur le ring, bang sur le rang...

Ce soir-là, ce fut la fête au chantier. Les hommes chantèrent tout au long du souper et on les entendit se raconter des

4. *Run* : un circuit, un trajet.

histoires une bonne partie de la nuit. Les violoneux s'en donnèrent à cœur joie.

Aussi, en plus du sirop d'érable, le fournisseur du cuisinier avait apporté quelques cruches d'eau-de-vie qui circulèrent rapidement et contribuèrent à égayer les esprits de toute la maisonnée.

Ne pouvant plus supporter l'atmosphère suffocante qui régnait à l'intérieur, Jules Ladouceur sortit prendre l'air quelques minutes pour reprendre ses sens.

Il allait rentrer lorsqu'une voix feutrée l'interpella.

— Ladouceur! Ladouceur!

Jules ne voyait pas bien qui l'appelait dans l'ombre.

— Ladouceur, répéta la voix.

— Qui est là? demanda-t-il, un peu inquiet.

— C'est moi, Thomas. Thomas Paquin.

Jules s'approcha et reconnut le solide gaillard de quarante ans.

— Qu'est-ce tu veux?

— Faut que j'te dise quec'que chose..., dit Thomas, hésitant.

— Vas-y.

— Écoute, Ladouceur, toé tu pars la semaine prochaine, tu vas r'joindre les cageux de chez vous en bas d'la Rouge, fa que tu vas leur dire c'que j'vas t'dire. Gatien Claude, tu l'connais, y m'avait demandé de surveiller pour savoir si le vol de bois s'organisait encore c't'année. Dis-lui qu'y va y en avoir encore; ça se parle dans le bois. Les voleurs de Rigaud attendent les cages... J't'en dis pas plus. Dis-lui juste que j't'ai dit ça, pis que d'après moé, y devrait d'mander au géant de vous aider.

— Le géant? C'est qui ça? demanda Jules.

— J'aime mieux pas te l'dire. Y te l'dira, lui. Faut que j'rentre, à c't'heure. C'est mieux qu'on nous voye pas ensemble.

Thomas Paquin fit demi-tour et se précipita dans la salle à manger.

Jules resta sceptique : devait-il prêter foi aux propos de ce Thomas Paquin qu'il connaissait à peine? Était-il victime d'un tour qu'on lui jouait un soir de fête? Il n'avait jamais entendu parler de vol de bois de sa vie, pas plus pendant l'hiver qui venait de passer.

Incapable de résoudre cette énigme, il décida d'aller se coucher immédiatement; il se sentait étourdi par l'eau-de-vie et ses pensées devenaient de plus en plus confuses.

Le lendemain matin, un peu avant l'heure du déjeuner, Jules Ladouceur obtint une réponse à ses questions de la veille. Un groupe de bûcherons arriva à la cantine. Ils transportaient un des leurs.

Ils entrèrent précipitamment dans la salle à manger et étendirent le blessé affreusement mutilé sur une table. Jules et le cuisinier les rejoignirent.

— Qu'est-ce qui s'est passé, bout d'enfer? demanda ce dernier.

— Y coupait un gros chêne avec Edmond Labrosse, expliqua un bûcheron. Y étaient chacun de leur bord... pis là, y a une grosse faiseuse de veuve[5] qui y é tombée drette s'a tête...

Jules s'approcha du corps gisant et reconnut, en dépit du crâne fracassé, la silhouette de Thomas Paquin.

5. Faiseuse de veuve : haute branche qui tombe pendant l'abattage d'un arbre.

L'homme mourut quelques minutes plus tard.

La nuit suivante, Jules Ladouceur mit ses effets personnels dans un sac de toile et, dès l'aube, il enfourcha le premier cheval qu'il trouva et s'enfuit vers l'Outaouais.

À la Pointe-au-Chêne,
au bord de l'Outaouais

— Envoye, Jérémie, passe la chaîne! Octave, viens y aider, y s'ra pas capable tout seul...

— J'peux pas y aller! Faut que j'tienne le câble d'Antoine...

Depuis la mi-avril, les bords de l'Outaouais faisaient l'objet d'une intense activité. C'est à cette époque de l'année que les voyageurs préparaient leurs grands radeaux de chêne et de pin qu'ils allaient vendre à Québec. Les Anglais les achetaient, les démontaient, chargeaient les pièces de bois sur leurs bateaux et les livraient en Angleterre; une fois là, le bois était utilisé pour fabriquer des meubles, des maisons et même des bateaux.

Toutes les rivières de cette région étaient parsemées de camps de bûcherons qui fonctionnaient à plein rendement pendant tout l'hiver. Une partie du bois restait sur place, traitée au moulin à scie; elle servait à satisfaire les besoins des communautés locales.

Au printemps donc, trois choix s'offraient aux «gars de chantier» : retourner cultiver leur terre, travailler au moulin à scie ou livrer du bois à Québec. La plupart revenaient à la ferme, le travail dans le bois ne servant qu'à augmenter leur revenu annuel.

Les cageux attendaient le bois au bout des rivières, tout le long de l'Outaouais; les longues billes flottantes leur étaient livrées par la nature, souvent à intervalles irréguliers. Il arrivait en effet que le bois s'emmêle et provoque une *jam*[6] en amont : plus rien ne bougeait. Des draveurs expérimentés sautaient alors sur les troncs et, à l'aide de longues gaffes, remuaient les billes jusqu'à ce qu'elles se dégagent et reprennent un cours normal dans le torrent. C'était un métier fort dangereux et plusieurs mouraient noyés ou blessés irrémédiablement.

6. *jam* : enchevêtrement, en anglais.

Les *jams* les plus spectaculaires se produisaient aux embouchures de l'Outaouais et c'étaient les cageux qui devaient y voir, les draveurs ne travaillant que plus haut sur la rivière. Contrairement aux *jams* d'en haut, les *jams* d'en bas se formaient à la verticale : les rivières venaient mourir dans l'Outaouais après une forte dénivellation ou un rapide violent — c'était le cas de la Rouge — et les longues billes s'entassaient les unes sur les autres pendant la nuit jusqu'à des hauteurs difficiles à imaginer.

Ce matin-là, les cageux de la Pointe-au-Chêne s'étaient réveillés avec une *jam* de treize mètres de haut pour déjeuner...

Jérémie Claude était devenu le spécialiste du repérage des pièces de bois qui causaient des enchevêtrements d'arbres. Bien souvent en effet, il ne suffisait que d'un ou deux *logs*[7] pour bloquer tout l'ensemble.

Ils étaient au moins douze cageux au bord du rapide. L'opération était simple en apparence mais dangereuse. Jérémie

7. *Log* : tronçon de bois, billot, rondin, en anglais.

devait marcher sur les roches et sur les billes jusqu'à celle qui causait «l'embarras»; il la coupait à la hache pour la faire bouger, débloquant du même coup les billots entremêlés. Au même moment, il lui fallait sauter à l'eau alors que les autres cageux tiraient sur le câble dont il s'était entouré la taille; ainsi, il pouvait revenir promptement au bord sans se faire écraser par la masse de bois. La synchronisation des mouvements devait être parfaite: c'était une question de vie ou de mort.

Tout se faisait par signes, ou presque: le bruit du torrent empêchait toute communication précise et une méprise aurait été fatale.

Jérémie leva le bras quand il fut prêt à commencer. Les hommes tendirent le câble qui le retenait, juste assez pour qu'il maintienne son équilibre.

Il bûcha, bûcha et bûcha encore. Rien ne bougea. Il cessa ses efforts. Puis soudain, sans qu'il ne s'y attende, le billot récalcitrant se renversa sur le côté et la montagne d'arbres déboula dans un bruit infernal.

Vigilant et agile, Jérémie lança sa hache et se jeta dans le rapide. Comme les cageux étaient restés en alerte, sous leur traction il parcourut au moins deux mètres dans les airs avant de retomber à l'eau.

Arrivé au bord, on l'enveloppa de couvertures et on l'amena dans une cabane chauffée où un bol de vin chaud l'attendait.

— Je l'ai eu! Je l'ai eu! répétait-il sans arrêt.

— Nous autres aussi, on t'a eu, ajouta un autre joyeusement.

Une demi-heure plus tard, ils sortirent de la cabane et se remirent au travail.

— Regardez qui cé qui arrive! dit Gatien Claude.

— C'est Jules...! Qu'est-ce qui fait là, lui? Y d'vait arriver juste dimanche.

— Y a pas l'air dans son état normal. Venez!

Ils coururent à la rencontre du cavalier qui sortait de la forêt. Il semblait exténué.

— T'as ben l'air fatigué, mon jeune, lui dit Gatien en arrivant à sa hauteur.

Jules Ladouceur descendit de sa monture, tituba, s'assit par terre et s'appuya le dos à un arbre.

— Y a un gars qui est mort, en haut... J'suis venu tout de suite... J'ai eu peur, j'me suis sauvé...

— Attends, attends, interrompit Gatien. Dis pas tout en même temps. R'prends ton souffle. Donnes-y de l'eau, Benjamin, on va l'amener dans la cabane.

Les hommes le soulevèrent et le transportèrent à l'intérieur de la maisonnette où Jérémie somnolait.

— Jérémie, lève-toé! cria Gatien à son cousin en entrant.

Ils étendirent Jules Ladouceur sur le lit de camp, au grand étonnement de Jérémie qui reconnut son compagnon de l'île Bizard.

— Qu'est-ce qui fait icitte, lui?

— Y arrive d'en haut. Y dit qu'y a un gars qui est mort. On va le laisser dormir; tu vas rester avec. Quand y va se réveiller, tu m'appelleras.

Les hommes retournèrent à leurs activités dont la principale ce jour-là fut de récupérer les plançons[8] qui s'étaient échappés dans l'Outaouais après leur libération soudaine. On les regroupait dans une baie pour les trier selon l'espèce et la grandeur.

8. Plançon : tronc d'arbre équarri servant spécifiquement à la construction des cages.

Il s'agissait ensuite de les assembler en cribes et en drames[9].

À la mi-journée, Jérémie alla retrouver Gatien.

— Qu'est-ce tu fais? Y es-tu réveillé? demanda ce dernier.

— Oui. Mais y dit qu'y veut te voir tout seul, pas avec les autres.

— C'est correct.

Puis, se tournant vers les autres cageux travaillant à bonne distance, Gatien lança:

— Continuez! J'vas aller voir le p'tit...!

Jules Ladouceur expliqua à Gatien Claude les raisons de son arrivée prématurée à la Pointe-au-Chêne.

La mort de Thomas Paquin attrista beaucoup Gatien; c'était un ami de longue date. Tout ce qu'il savait du bois, des

---

9. Cribe (un): petit radeau formé de deux rangs de plançons: largeur environ huit mètres et longueur pouvant atteindre douze mètres.
   Drame (une): grand radeau renforcé formé de deux rangs de plançons: largeur environ douze mètres et longueur pouvant atteindre trente mètres. Une cage consistait en une succession de cribes ou de drames (ou une alternance des deux) enchaînés les uns aux autres, d'où l'expression «train de bois flottant».

courants, des secrets des rapides, c'est de lui qu'il l'avait appris. Il n'était pas prêt à pardonner...

— C'était peut-être un accident, ajouta Jules comme pour l'apaiser.

— Tu les connais pas ces gars-là, mon jeune, y tueraient leur mère pour gagner dix cennes...

— C'est qui l'géant?

— C'est Montferrand. Joseph Montferrand. Y en a qui l'appellent «le géant de l'Outaouais», d'autres, le Grand Jos. C't'un homme ben grand pis ben fort. Y descend encore des cages, j'pense. L'année passée, j'ai entendu dire qu'y parlait d'arrêter.

Gatien Claude réfléchit pendant quelques secondes puis ajouta :

— Thomas a raison. On va essayer de le r'joindre; y devrait être dans le coin de la rivière du Lièvre. Jérémie, tu vas prendre deux hommes, des chevaux, de la boustifaille, pis tu vas monter jusque-là. Va y conter l'histoire. On perd rien d'y d'mander. Partez après le dîner pis perdez pas d'temps en ch'min : y aime ça faire la première descente du printemps, lui...

IV

L'IDÉE DE LA FOUINE

*Deux semaines plus tard,
au moulin du Crochet*

— As-tu la pierre de feu ? demanda Félix.

— Oui, je l'ai, répondit Émilie. Je suis allée la chercher hier et je l'ai polie tout l'après-midi.

Émilie et Félix mettaient la dernière main aux préparatifs de la soirée d'initiation de François-Xavier Boileau. Elle ouvrit son sac, en sortit la pierre et la déposa au milieu d'un cercle formé de roches qu'ils avaient ramassées au bord de la rivière.

— Elle est belle, dit Félix en la manipulant. Tu as sûrement travaillé longtemps.

— Et pas pour rien, j'espère... Qu'est-ce qu'on va faire s'il refuse de la prendre ?

— J'aurai eu raison, c'est tout. C'est vous autres qui disiez qu'il n'était pas trop jeune...

— Hé que tu me choques, des fois, Félix Brayer! Tu as dit que tu étais d'accord, l'autre jour, à la Pointe-aux-Cageux! L'es-tu, oui ou non? Ah, et puis laisse faire...! Va chercher du bois, on va monter le feu.

L'initiation était un rituel impressionnant. Dès la brunante, on allumait un gros feu que chacun alimentait pendant environ trente minutes. Passé ce délai, plus personne n'ajoutait de bois : on laissait la flamme baisser jusqu'à ce qu'il n'y ait plus que de la braise. La pierre de feu, placée au centre avant l'allumage, apparaissait alors dans toute sa splendeur.

Émilie et Félix échafaudèrent un petit bûcher sous lequel était soigneusement dissimulée la pierre; ils y mettaient le feu lorsque Onézime Ladouceur arriva.

— Salut!

— Salut!

— Moïse et son frère ne sont pas encore arrivés? demanda Onézime.

— Ils arrivent, justement.

En effet, François-Xavier et Moïse le suivaient de près. Ils attachèrent tous leurs poneys à côté du cheval noir d'Émilie qui semblait fier, lui aussi, d'être le plus grand.

François-Xavier se demandait ce qui l'attendait. Le matin même, Moïse lui avait dit qu'il pouvait maintenant faire partie des initiés de la Pointe-aux-Cageux à cause du rêve qu'il avait fait : il participerait aux activités secrètes du groupe, aux expéditions dans l'île et aux chasses. Seule condition : avoir confiance. Cette confiance serait mise à l'épreuve en soirée, au moulin du Crochet.

François-Xavier suivit son frère jusqu'au feu. Tous s'assirent autour et commencèrent à l'alimenter à même les petits tas de branches qu'Émilie et Félix avaient préparés. Tout cela l'intriguait : ils agissaient de façon automatique, sans parler, un peu comme le curé lorsqu'il disait sa messe : des gestes apparemment posés mille fois.

— Avez-vous commencé ? fit une voix.

C'était la Fouine.

— Nous t'attendions, répondit Émilie.

— Ça m'a pris du temps... Nous avions beaucoup à faire à la ferme : on a travaillé toute la journée sur la devanture[10]. On vient de finir...

— Nous autres, on a fait la traverse[11], dit Moïse Boileau.

— Viens faire brûler ton bois, dit Onézime.

La Fouine s'assit à la place laissée libre et lança la moitié des branches de son paquet dans le feu, soulevant une gerbe d'étincelles.

— J'ai apporté un pain, dit encore Onézime.

Ils le brisèrent en morceaux qu'ils piquèrent à des branches; chacun le fit griller à sa convenance et le mangea.

— Délicieux! s'exclama Félix.

— Merci! dit Onézime.

— C'est toi qui l'as fait?

10. Devanture : partie d'un chemin public longeant les terres d'un fermier; chacun était responsable de son entretien.
11. Faire la traverse : nettoyer les fossés le long des chemins; là encore, chaque agriculteur entretenait la partie couvrant la largeur de sa terre.

— Moi et maman. On en a fait quatorze aujourd'hui.

— Vraiment très bon, dit Moïse.

François-Xavier, lui, grignotait sans appétit.

Les dernières branches de bois sec achevèrent de se consumer. Petit à petit, la pierre de feu fit son apparition à mesure qu'elles tombaient : une lumière vive, rougeâtre et jaune, émergeait de la forme lisse de la grosseur d'un pot de conserve.

Le silence se fit. François-Xavier fixait l'objet, fasciné. Se tournant vers son frère, il voulut l'interroger mais celui-ci lui fit comprendre, en lui serrant le bras, que l'heure était au recueillement.

Félix Brayer s'adressa à lui :

— François-Xavier Boileau...

— Oui..., répondit-il timidement.

— Tu as fait le rêve te permettant de te joindre à nous. Nous tous, ici présents, nous l'avons fait aussi. As-tu confiance en nous ?

— Oui..., fit-il, hésitant.

— Veux-tu faire partie des nôtres, respecter nos règles et apprendre nos secrets ?

— Oui, répondit-il avec plus d'assurance.

— Es-tu prêt à vivre nos aventures?

— Oui.

Émilie saisit deux branches qu'elle appuya de chaque côté de la pierre de feu, la retira du brasier et la déposa sur une roche plate qu'Onézime Ladouceur venait de placer devant François-Xavier.

La scène était majestueuse : le ciel était clair à l'approche de la nuit et de longs nuages d'un bleu très foncé semblaient collés à la voûte céleste. La silhouette du vieux moulin abandonné depuis une dizaine d'années se découpait sur l'horizon.

— Pour nous prouver ta confiance, François-Xavier Boileau, tu vas prendre la pierre de feu dans tes mains, tu vas faire le tour du feu et tu vas la rapporter sur cette roche, dit solennellement Émilie. Elle ne brûle pas, ajouta-t-elle; nous l'avons tous fait...

Un frisson parcourut François-Xavier. Il regarda son frère dans les yeux. Moïse lui retourna un regard réconfortant. Puis, tout à coup, sa mémoire lui rendit son rêve : «une pierre de feu...»

— Est-ce que je...? commença-t-il.

— Non! l'interrompit Félix. Il n'y a pas de questions. Tu la prends... ou tu ne la prends pas.

François-Xavier regarda encore son frère et tous les acteurs de cette étrange cérémonie. Encore un regard sur le feu presque éteint, sur les deux branches, et enfin sur la pierre de feu.

Il se leva, se frotta les mains sur son pantalon à quelques reprises et s'accroupit devant la pierre. Il passa lentement une main au-dessus, ensuite l'autre. Fermant les yeux, il saisit la forme rouge et, d'un seul élan, il se redressa.

À sa grande surprise, il n'éprouva aucune douleur, à peine une douce chaleur. Il ouvrit les yeux aussitôt, contourna le foyer et rapporta l'objet sur son socle.

Un grand cri de joie s'échappa du groupe. Tous se levèrent, chantèrent en lançant de nouvelles branches sur le feu en voie d'extinction. François-Xavier, lui, resta accroupi devant sa pierre de feu, ne croyant pas encore à ce qu'il venait de vivre...

— Tu l'as fait! Tu l'as fait! lui cria Moïse en le soulevant de terre.

Les autres l'agrippèrent et le projetèrent trois fois vers le ciel.

Après ces quelques instants d'euphorie, ils se rassirent autour du feu qui avait repris des forces. François-Xavier était tout étourdi. La Fouine prit la parole :

— François-Xavier, tu vas maintenant apprendre nos secrets et nos règles. Cette pierre est la tienne. Tu la garderas dans un endroit sûr, là où personne ne pourra la découvrir.

— D'où ça vient, les roches de feu? demanda-t-il.

— Du Pain de Sucre. C'est Félix, Émilie et ton frère Moïse qui ont découvert ces pierres il y a deux ans. Un soir, pour se réchauffer, ils ont allumé un feu. Avant de partir, Félix a étendu les braises pour qu'elles s'éteignent plus vite. Émilie s'est penchée pour ramasser la lanterne et elle est tombée sur le feu; elle s'est brûlée à la main droite sur une branche, mais elle n'avait rien à la main gauche qui, pourtant, était appuyée sur une roche au centre du cercle. Intrigués, ils ont sorti la roche avec un bâton et l'ont touchée chacun à leur tour : même si elle était rouge, elle ne brûlait pas. Ils ont ravivé leur feu et y ont placé d'autres pierres comme celles qu'on trouve encore sur le Pain de Sucre : elles n'étaient pas chaudes même si elles s'allumaient. Ils ont décidé de garder le secret et ont formé le groupe ce jour-là.

— Vous autres, vous l'avez su ? demanda François-Xavier.

— Non. Onézime et moi, nous avons rêvé. Comme toi. Celui ou celle qui rêve à ça et qui nous en parle peut faire partie du groupe. Mais il ne faut pas le dire, François ; ça doit venir de la personne. C'est comme ça qu'on se reconnaît.

— Explique-lui le reste du rêve, dit Félix.

— Ah oui ! La Tour du Diable, c'est le Pain de Sucre ; le serpent, c'est le câble caché qu'on utilise pour monter ; et la caverne, c'est notre cabane. Quand quelqu'un nous raconte tout ça, on l'invite à la cérémonie des pierres de feu. S'il a confiance, on le garde...

— Qu'est-ce qu'il y a dans la cabane ?

— Tu verras ça plus tard, répondit Moïse. Il faut te parler des règles. Il y en a deux : la première, c'est quand on prend une décision : tous, sans exception, doivent être d'accord. La deuxième, c'est d'aider tous ceux du groupe qui en ont besoin. Comme Onézime, cet été ; je t'en ai parlé hier...

— Et puis on a des projets, ajouta Félix. On chasse, on pêche, on fait des choses...

Émilie le regardait du coin de l'œil. «Y vas-tu le dire à quoi y pense...?» se dit-elle.

François-Xavier respira profondément. Il se sentait rassuré et fier d'appartenir à ces aventuriers qui lui racontèrent en plus quelques péripéties des étés précédents.

— Et puis cet été..., entreprit Félix, hésitant.

— Et puis cet été... QUOI? demanda Émilie.

Le projet de Félix Brayer...
et l'idée de la Fouine

— Un radeau! affirma Félix.

Le mot retentit dans la nuit. Plus personne ne parlait. François-Xavier souriait : il imaginait le groupe flottant sur la rivière. Moïse cherchait une réaction sur le visage d'Émilie : elle avait ouvert grand les yeux sous l'effet de la surprise et ne savait que dire ; elle pensa néanmoins à la pêche qu'elle adorait. Onézime arborait quant à lui un visage épanoui en dépit de ses nouvelles obligations : une telle activité l'émerveillait, l'attirait ; il pensait à son frère Jules. La Fouine se leva et fit quelques pas en direction de la rivière ; il s'arrêta, fixant l'horizon.

— Vous ne dites rien ? s'exclama Félix.

La question secoua la torpeur où chacun s'était réfugié et les ramena « sur terre ».

— Euh... oui, commença François-Xavier. Je... je...

Il préféra laisser parler les autres avant d'émettre une opinion.

— Moi, je pense que c'est ta meilleure idée depuis longtemps, Félix, dit joyeusement Émilie. Ça va être tout un été ! Imaginez : on va pouvoir traverser à Sainte-Geneviève quand on voudra, et peut-être plus vite que le chaland. On va pouvoir aller à la pêche...

— ... sur le lac des Deux-Montagnes ! poursuivit Moïse. Il y a des gros poissons là-bas.

— Et des grosses vagues, fit observer François-Xavier.

— Oui, mais si on y va une journée où c'est calme, sans vent..., ajouta Félix, comme pour le convaincre. Et puis, on n'est pas obligé d'aller au milieu du lac.

— Ça va être fantastique, dit Onézime, prévoyant déjà quelques journées de congé. J'ai vu des vieilles toiles de lin dans la grange : on pourrait mettre une voile...

— Elmire, tu dis rien? demanda Émilie.

— C'est que...

— Tu as peur? dit François-Xavier qui le connaissait mal.

— Non, j'ai pas peur, François; c'est que... je voulais vous faire une surprise et...

— Quelle surprise? demanda Moïse.

— Eh bien, un radeau..., j'en ai déjà un!

— Tu... tu en as un? balbutia Félix.

— Oui. J'en ai un. Depuis trois semaines; je l'ai trouvé près du quai du chaland; je pense que c'est une partie de cage qui a dû mal passer un rapide l'an dernier. C'est du bois équarri, du bon bois. C'est pas un gros radeau mais il est solide. Je m'en sers pour aller à mon île.

La Fouine «avait» une île près du moulin du Crochet, c'est d'ailleurs là qu'était sa cachette. Il s'y rendait en canot, ou à pied quand l'eau était basse, car elle était située tout près de la terre ferme. L'arrivée de ce radeau le combla de joie : une plate-forme stable pour transporter ses objets lourds, quelle chance!

— Alors le radeau est déjà fait? jubilait Félix.

— Oui! Il est prêt! répondit la Fouine avec un large sourire. Je vous invite demain après-midi pour un premier tour. Rendez-vous ici. Tu vas venir, Onézime? C'est dimanche, demain : vous ne travaillez pas...?

— Je serai là, répondit Onézime.

— Félix, ton idée m'en a donné une autre, reprit la Fouine. Puisqu'on était prêt à se construire un radeau, pourquoi on se ferait pas...

Il laissa sa question en suspens jusqu'à ce que les autres devinent sa pensée.

Émilie fut la première à comprendre.

— ... une cage? risqua-t-elle en souriant.

— Oui, une cage, un train de bois, confirma-t-il. J'ai tout ce qu'il faut : des chaînes...

Félix Brayer ne tenait plus en place. Il ne se doutait pas que son projet prendrait une telle ampleur et que lui-même deviendrait si vite ce qu'inconsciemment il souhaitait : un cageux!

— Et puis ça aiderait Onézime, ajouta la Fouine.

— Comment ça? demanda l'intéressé.

— On pourrait transporter une partie de vos récoltes à Sainte-Geneviève, et tu pourrais venir avec nous.

— C'est vrai ça, je n'y avais même pas pensé.

— Il y a autre chose aussi...

François-Xavier Boileau n'en revenait pas. Il n'avait jamais soupçonné que son frère puisse appartenir à un groupe aussi entreprenant. Il écoutait tout avec attention.

— Ton frère Jules, poursuivit la Fouine qui s'adressait encore à Onézime, il fait la *run* du Côteau[12] ou il passe par ici?

12. La *run* du Côteau : il y avait aussi des cageux qui, partis de Windsor, empruntaient le Saint-Laurent ; «la *run* du Côteau» était une succession

— Il passe par ici. Il disait dans sa lettre qu'il serait là vers le quinze de mai.

— Ils auront sûrement besoin de ravitaillement, j'imagine?

— Oh oui! Les cageux achètent toujours des pois à la pleine poche.

— Si, on allait leur «donner» des pois ou autre chose... penses-tu que... qu'ils nous feraient descendre?

— Descendre quoi? demanda Moïse.

Là encore, c'est Émilie qui vit où son frère voulait en venir. Elle dit à voix basse :

— Descendre le rapide...

Puis, haussant le ton :

— Descendre le rapide avec les cageux... sur notre cage! Oui! Oui! Oui! ajouta-t-elle avec enthousiasme.

Lorsqu'ils quittèrent le moulin du Crochet ce soir-là, les initiés de la Pointe-aux-Cageux étaient fébriles et survoltés. Ils mirent d'ailleurs plusieurs heures à s'endormir une fois revenus chez eux.

Cependant, s'ils avaient su ce qui se préparait à Rigaud, ils n'auraient sûrement pas fermé l'œil de la nuit...

de quatre rapides violents et de chutes dans la région de Côteau-du-Lac.

V

COMPLOT À RIGAUD

Cette nuit-là,
dans la baie des Quesnel

Dans une cabane de bois rond, près de Rigaud, les trois frères Mérineau organisaient eux aussi leur été : c'étaient des spécialistes du vol de bois. L'un d'eux, Alfred, revenait de la Rouge.

— Je l'connais pas ton Jules Ladouceur, mon ti-Fred, dit Omer.

— Je l'connais pas non plus, dit Hector.

— C't'un gars de l'île Bizard. Y conduisait un bobsled[13] au chantier ; c'est lui qui est parti après l'accident de Thomas Paquin... Y a r'joint les cageux au bord de l'Outaouais. J'pense qu'y s'doutait de

13. Bobsled : traîneau ; fut appelé plus tard «bobsleigh».

quec'que chose... On devrait aller «travailler» ailleurs, plus en bas de la rivière.

— Pourquoi plus bas?

— Parce que si y le savent, y laisseront pas des gardiens de cages en dérouine[14] s'endormir avec une cruche de rhum... On n'aura pu de bois! Y faut changer de place, Omer, on n'a pas le choix!

Les cageux arrêtaient toujours à Rigaud pour la nuit et profitaient des sept ou huit auberges locales pour manger un bon repas, faire la fête et dormir sur une paillasse confortable. Peu d'endroits pendant leur long voyage de trois semaines offraient un tel luxe. Les voleurs tiraient avantage de ces nuits douces en détachant des cribes et des drames qu'ils dissimulaient de l'autre côté de l'Outaouais.

— Ousse que tu veux aller? demanda Omer. Comment tu penses qu'on va pouvoir r'vendre le bois après? De l'autre bord de la rivière, y en a plein qui nous l'achètent. Si on va ailleurs...

— Si on va ailleurs, compléta Alfred, on va trouver d'autres acheteurs. Du monde

14. En dérouine : aux facultés affaiblies par l'alcool.

qui a besoin de bon bois pour pas cher, y en a partout!

Une fois les radeaux démontés, les trois voleurs cachaient le bois dans la forêt et entreprenaient une tournée des villages et des fermes d'en face, offrant leur butin considérable à bon prix; l'acheteur n'avait qu'à aller cueillir son dû à l'endroit indiqué. Comme les cageux travaillaient tout l'été, l'approvisionnement était constant et ils accumulaient des sommes d'argent importantes sans effort.

— On devrait rester ici, insista Hector. Ça marche bien et...

— Pis si y décident qu'y arrêtent pu à Rigaud parce qu'y perdent trop de bois? interrompit Alfred.

Un court silence envahit la pièce surchauffée. L'absence de réponse à cette question convainquit Omer et Hector d'opérer ailleurs.

— Ousse qu'on va aller? redemanda Omer, résigné.

— Ben..., on va aller là où y s'y attendront pas: on va aller chez eux! affirma Alfred sournoisement.

— À l'île Bizard? demanda Hector.

— Ben oui! À l'île Bizard, répondit-il en riant, découvrant ainsi sa bouche édentée et puant l'eau-de-vie.

Omer, lui aussi, émit un rire gras et sonore, approuvant ainsi la ruse de son frère.

Alfred sortit alors une carte tachée et déchirée et l'étendit sur la table autour de laquelle ils étaient assis.

— C'est là, dit-il, pointant du doigt l'îlot qui apparaissait à l'extrémité du lac des Deux-Montagnes. Les cageux passent du côté du lac et descendent le rapide au bout; mais avant de descendre, y couchent à la pointe qui est là.

Son index indiquait la Pointe-aux-Cageux.

— Nous autres, où on va se cacher? demanda Hector.

— Là!

Son long doigt s'était arrêté... sur l'île de la Fouine!

— On va r'monter le courant avec le bois? demanda Omer.

— Y a pas de courant sur le lac. On va être capable. Si y faut, on prendra une bonne[15]. On cachera le bois dans la baie pis on ira le vendre de l'autre bord, du côté de Sainte-Geneviève. On peut même vivre à l'auberge si on veut...

— À l'auberge?

— Y a un vieux moulin dans ce coin-là. Y sert pu depuis dix ans.

— Comment on va faire pour se rendre là?

— Y a un chaland qui traverse. J'pense même qu'y en a deux...

— Oui, mais... pour partir d'icitte?

Alfred Mérineau rit à nouveau.

— J'ai vu trois beaux chevaux, à matin, en arrière de l'église...

Les trois frères rirent bruyamment et vidèrent leur cruche d'alcool frelaté en buvant à même le contenant.

15. Bonne : grosse chaloupe à rames.

VI

DE LA VISITE INATTENDUE

Le lendemain,
à l'île Bizard

Au moulin du Crochet, tous attendaient la Fouine.

— On devrait aller voir du côté de la baie, suggéra Émilie.

Le groupe se mit en marche et longea la berge; ils parcoururent rapidement la courte distance qui les séparait de l'anse où était située l'île de la Fouine.

— On est arrivé! lança François-Xavier quelques minutes plus tard. Je vois son île, je pense; regardez, c'est là-bas!

Félix marchait derrière avec Émilie.

— Il ne te l'a pas montré, son radeau? demanda-t-il.

— Il n'a pas voulu. Il dit que c'est «son affaire» et que...

— Regarde! l'interrompit Félix, stupéfait.

De derrière l'île de la Fouine, ils virent une forme plate et massive surgir : le radeau!

Debout à l'arrière et naviguant à contre-courant, Elmire Sauvé, manœuvrait vaillamment avec une longue perche; ses mouvements réguliers et incessants parvenaient à faire avancer son vaisseau avec lenteur et majesté.

Quand il eut dépassé son île, Elmire entreprit un virage complexe lui permettant d'entrer dans la baie et de respirer plus à l'aise. L'eau y étant plus calme, il pouvait maintenir le cap en maniant la longue tige d'une seule main; de l'autre, il saluait avec exubérance ses compagnons regroupés sur la rive à trente mètres de lui. Ceux-ci, impressionnés, mirent quelques secondes à réagir. Puis, spontanément, ils sautèrent sur place, les bras en l'air, lui signifiant qu'ils l'avaient bien vu et qu'ils l'attendaient.

Lorsqu'il accosta, ce fut un délire. Tous parlaient en même temps, les uns appréciant les manœuvres de la Fouine et anticipant les leurs, les autres en admiration devant le radeau et désireux d'y monter.

C'était une plate-forme très solide, un assemblage savant d'une douzaine de plançons de trente centimètres de largeur et d'une longueur totale d'environ quatre mètres. À chaque bout, une traverse fixée à l'aide de chevilles de bois maintenait le tout en place.

— Montez, montez! réussit à dire la Fouine.

Ils ne se firent pas prier. En moins de deux, les six navigateurs étaient prêts pour le départ.

— As-tu juste une rame? demanda Onézime.

— Euh... oui. Il va falloir en faire d'autres.

Ce qu'ils avaient pris pour une longue branche n'était en fait qu'une grande rame utilisée aussi bien sur les cages que sur des embarcations de taille plus importante.

— On dirait une rame du chaland, constata François-Xavier qui s'était approché.

Moïse examina l'objet de plus près. Il se tourna vers la Fouine.

— C'EST une rame du chaland... !

Elmire rougit.

— Euh... oui. C'est une rame du chaland, confessa-t-il. Je... je l'ai empruntée ce matin. Je la rapporterai ce soir. C'est une rame qu'ils n'utilisent pas ; elle était accrochée sur le rebord...

— Si le père Paquin vient à l'apprendre, dit Félix, tu vas avoir les fesses rouges : il est mauvais comme un coq. Ses rames, c'est comme ses dents : quand il en perd une, il a l'impression qu'elle ne reviendra jamais !

— On part ou on part pas ? demanda Émilie, mettant ainsi fin à la discussion.

— On part ! répondirent en chœur Félix et Onézime.

La Fouine appuya la rame au fond de l'eau et tous poussèrent pour dégager le radeau du bord.

Quelques instants plus tard, ils voguaient calmement au milieu de la baie, évitant de s'approcher du courant : si nombreux à bord, ils ne seraient pas parvenus à le remonter et auraient certainement éprouvé des difficultés à accoster. Aussi, comme le quai du chaland était tout près, mieux valait ne pas courir de risques...

Ils s'approchèrent de l'île de la Fouine.

— On peut y aller? demanda Émilie.

— Oui, oui. J'ai plein de choses à vous montrer, répondit le batelier.

Tous étaient ravis d'ajouter une touche supplémentaire d'insolite à cette traversée émouvante.

La Fouine et Onézime actionnèrent vigoureusement la rame-gouvernail pour augmenter un peu la vitesse avant l'accostage et éviter ainsi d'avoir à mettre les pieds à l'eau pour descendre du radeau. Ils s'étaient d'ailleurs tous regroupés à l'arrière afin de faire lever l'avant au maximum.

François-Xavier qui regardait en direction opposée attira l'attention des voyageurs.

— Regardez là-bas! On a de la visite...

Tous suivirent son doigt pointé alors que le radeau s'échouait; l'arrêt brutal faillit projeter François-Xavier dans la rivière.

De l'autre côté de la baie, de l'endroit même où ils étaient partis, quelqu'un à cheval semblait regarder dans leur direction.

— Qui c'est? demanda Félix.

— Je ne sais pas, on est trop loin, répondit Émilie.

— Il faut y aller, ajouta Moïse. Il est peut-être arrivé quelque chose.

— Et nos poneys sont à l'abandon, ajouta Onézime.

À ces mots, François-Xavier sourcilla. Il pensa à Grelot, sa monture encore toute jeune.

Ils remirent donc à plus tard leur expédition dans l'île secrète et entreprirent, après de pénibles efforts pour dégager le radeau, le retour vers la rive du moulin du Crochet.

Plus ils approchaient, plus cette présence les intriguait. Ne portant plus attention au radeau, Onézime Ladouceur fit même une chute sur le bois limoneux.

Le mystérieux visiteur ne bougea pas tout au long de leur traversée. Seul son cheval sur lequel il était resté avait penché la tête pour s'abreuver.

— C'est une femme, dit Émilie. Regardez, on voit sa robe.

— Une femme? s'étonna la Fouine qui, de son poste, ne voyait rien. Qui ça peut être?

— C'est... la maîtresse! s'exclama Félix.

— Mais oui, confirma Moïse. Qu'est-ce qu'elle fait ici, elle?

— Bonjour les naufragés! clama Félicité Laurin lorsqu'ils furent à portée de voix.

— Bonjour! répondirent quelques passagers.

— Vous n'avez pas perdu de temps à vous trouver une activité, à ce que je vois. C'est dangereux, tant de monde sur un si petit radeau...

— C'est la Fouine... euh... Elmire qui l'a trouvé, Mademoiselle, dit Onézime Ladouceur en mettant pied à terre. Il est très solide, vous savez.

— On dirait une cage, observa-t-elle.

— Vous connaissez les cages? demanda Félix, étonné.

— Bien sûr! Mon père était cageux.

Son air s'assombrit. Elle poursuivit :

— Il est mort noyé en traversant le lac Saint-Pierre. Il y a des grands vents là-bas, des grosses vagues plus hautes que vous...

Elle jongla avec ses souvenirs pendant quelques secondes puis revint à la réalité.

— Vous êtes venue nous voir? demanda François-Xavier.

— Non. Je suis venue parler à Félix.

— Moi? fit ce dernier, mi-curieux, mi-inquiet.

— Oui, vous, Félix Brayer. J'ai rencontré votre père ce matin sur le perron de l'église. Il m'a parlé du papier pour l'école... Nous en aurons!

Leurs visages s'épanouirent.

— Plus d'ardoises? demanda Moïse que la craie faisait toussoter constamment.

— Disons que nous les utiliserons beaucoup moins souvent... Je suis venue vous remercier en passant.

— Comment avez-vous su que j'étais ici? demanda Félix innocemment.

— Je le sav...

Félicité Laurin ne s'attendait pas à cette question. Elle était mal à l'aise, déroutée, ne sachant que répondre.

— Les enfants, reprit-elle avec un air grave, il faut que je vous parle... Venez là-bas.

Elle entra dans la forêt avec son cheval et, à leur grande surprise, les compagnons se retrouvèrent sur un sentier qu'ils ne connaissaient pas. Il menait directement au moulin du Crochet : un raccourci dont même la Fouine ne soupçonnait pas l'existence.

Sur place, elle attacha son cheval à la branche qui retenait déjà la monture d'Émilie. Celle-ci s'en trouva flattée.

— Approchez-vous, leur dit-elle.

Elle s'assit à l'endroit même où François-Xavier l'avait fait la veille et invita ses élèves à s'accroupir sur le cercle encore apparent.

— On a fait un feu ici récemment, dit-elle en époussetant ses longues bottines lacées sur lesquelles un peu de cendre s'était déposée. Je parierais que c'est vous...

Personne ne répondit. Ils attendaient tous, intrigués par la nouvelle attitude de leur institutrice.

— Écoutez, mes enfants, je ne sais pas ce que vous faites ni ce que vous voulez faire, mais...

Elle fit une courte pause et reprit :

— Je vous ai bien observés dernièrement : vous êtes toujours ensemble, comme si un pacte vous liait, comme si vous étiez unis par quelque chose. En plus, vous semblez connaître l'île Bizard par cœur... Je pense que vous pouvez m'aider.

La dernière phrase provoqua l'étonnement général : ils s'attendaient à des mises en garde, à des avertissements ou à des questions, mais ils étaient loin de penser qu'ils pouvaient être utiles à Félicité Laurin et très surpris qu'elle leur fasse une telle demande.

— Vous aider ? demanda Émilie, incrédule.

— Oui, m'aider. Je ne sais pas par où commencer... C'est une longue histoire. Je vais essayer de la résumer.

Elle se concentra quelques instants et poursuivit :

— J'ai un oncle qui est curé à Sainte-Geneviève : l'abbé Lefebvre. Un jour, alors que la plupart d'entre vous étaient à peine nés, un vol a été commis au presbytère : 12 000 livres[16], tout l'argent de la fabrique... Quelques jours après le vol, un passant a retrouvé 2 600 livres sur la grand-route de Sainte-Geneviève; pour ce qui est du reste, on n'a jamais rien su, rien récupéré. Et 9 400 livres manquent encore. Manquaient encore, devrais-je dire...

— Vous les avez retrouvées? demanda Félix.

— Non. Enfin... Notre curé Lasnier m'a dit, il y a de ça un mois, que le bedeau avait trouvé une enveloppe sur un banc de l'église de l'île : elle contenait 1 000 livres... Ça ne peut être que cet argent : on n'utilise plus les livres depuis deux ans! Monsieur le curé pense comme mon oncle : c'est un des voleurs qui a voulu se repentir en rendant ce qui restait de l'argent, ou quelqu'un qui l'a trouvé et qui ne veut pas être soupçonné.

— Vous croyez que c'est nous? demanda François-Xavier.

16. 12 000 livres tournoises : l'équivalent d'environ 2 200 $ en 1843 (année du vol), soit près de 200 000 $ aujourd'hui!

— Mais non, François-Xavier! Non. Je pense que, s'il en reste, cet argent pourrait bien être ici, à l'île Bizard. Et j'aimerais que vous m'aidiez à le retrouver. Mon oncle serait tellement content, et son église a toujours besoin de réparations...

«Le coffret...», songea la Fouine.

L'automne précédent, il avait trouvé un petit coffret de plomb au bord de la rivière, coincé sous une souche. Il l'avait secoué et avait conclu qu'il était vide; comme il ne voulait pas le briser, il l'avait enterré sur son île en attendant de trouver un instrument approprié pour l'ouvrir ou une clé qui débloquerait la serrure. Il se rendait maintenant compte que les billets auraient pu y être placés de façon telle qu'il ne puisse soupçonner leur présence.

«Où ai-je enterré ce coffret?» pensa-t-il encore.

Il jugea préférable de ne pas en parler tout de suite pour ne pas risquer de décevoir Félicité Laurin. Cependant, il se promettait bien de retourner sur son île avec ses compagnons dès qu'elle serait partie.

— Comment peut-on vous aider, nous? demanda Émilie.

— En furetant partout comme vous le faites, il se pourrait bien que vous trouviez quelque chose ou que vous entendiez une conversation... Je ne sais pas. Vous pourriez le faire?

— Sûrement! répondit Moïse. On va fouiller l'île au grand complet pendant tout l'été, ajouta-t-il avec enthousiasme.

— Ne la tournez quand même pas à l'envers : l'eau est encore froide... dit-elle en se levant.

Ils sourirent avec elle et l'accompagnèrent à son cheval.

— Nous le trouverons, votre argent, dit Onézime.

— Je vous remercie, mes enfants. Soyez prudents. Et faites-moi savoir ce que vous trouvez, même un petit détail.

Elle s'éloigna lentement. Dix mètres plus loin, elle s'arrêta et se retourna vers le groupe.

— Ohé! Elmire! J'oubliais : monsieur Paquin va souper vers cinq heures... Attention à vous : il avait l'air très fâché ce midi. Et ne recommencez plus!

Elle fit demi-tour et partit au galop.

La Fouine était confondu. Il tomba assis par terre dans l'éclat de rire général de ses amis.

— Elle sait tout, cette femme-là, conclut Moïse.

— Félicité Laurin! s'exclama Onézime.

— Quoi, Félicité Laurin? demanda Émilie.

— Félicité Laurin, répéta-t-il. Comment ça se fait qu'on n'y a pas pensé?

— Pensé à quoi? demanda Félix.

— C'est elle, Félix, qui vous écoutait au bord du lac, quand tu parlais avec Émilie... Personne n'est sorti de la classe mais, elle, elle est sortie pour t'accueillir. Et bien a-vant que tu reviennes...

Félix approuva l'hypothèse d'Onézime. Il se rappelait l'état exagérément survolté de l'institutrice, son essoufflement inhabituel et les questions apparemment anodines qu'elle lui avait posées après la classe. Tout cela se tenait, tout cela avait bien du sens.

La Fouine, revenu de ses émotions, les ramena au présent.

— Je pense que je sais où est son argent...! lança-t-il.

Au même moment, sur la rive opposée de la rivière, trois hommes à cheval arrivaient au Cap Saint-Jacques après un long voyage et cherchaient une cabane abandonnée pour y passer la nuit.

VII

Inquiétudes sur l'Outaouais

En route pour Rigaud

Les cageux de la Rouge quittèrent la Pointe-au-Chêne le jeudi 5 mai. L'arrivée de Jules Ladouceur et de quelques autres bûcherons avait accéléré le rythme des travaux et donné de l'entrain aux «flotteurs de bois» : quand les chantiers se vidaient, c'était le signe de leur départ prochain.

Gatien Claude faisait office de guide de cage ; c'était le plus expérimenté de son groupe et il connaissait passablement les courants trompeurs de l'Outaouais.

Ce matin-là, il était allé «reconnaître» le premier rapide de la saison, celui qui faisait toujours naître une grande anxiété : la «passe du Long-Sault». Et il portait bien son nom : un violent tumulte qui n'en finissait plus. Gatien avait amené avec lui Jules Ladouceur et son cousin Jérémie.

En haut d'un arbre sur une presqu'île, ils avaient une vue complète de l'obstacle.

— Tu vois la coulisse d'eau là-bas...? C'est là qu'y faut aller, en plein milieu!

— Mais y a comme une grosse vague blanche qui r'vient sur nous autres juste après, opposa Jules.

— Tu vas arriver dedans assez vite que tu vas passer à travers. La roche qui est là, elle est ben creuse, mon jeune; y a pas de danger. Mais y faut que tu t'tiennes comme y faut après ta rame parce que ça donne un grand coup. Ton devant de cage va r'lever quasiment carré, pis là, y va se r'placer tout seul.

— Après..., murmura Jules.

— Après, y faut que tout l'monde rame en même temps, pis vite, pour se rapprocher du bord un peu. Si on continue drett, on va frapper le gros rocher là-bas, dans le milieu. Tu vas arriver dans une autre coulisse d'eau: tu rentres dedans pis tu passes le deuxième seuil. Après, tu suis les «moutons» en t'éloignant du bord; c'est plus calme mais garde les yeux ouverts:

on sait jamais d'avance les tours que l'hiver nous a joués...

— Y va falloir y aller si on veut coucher à Rigaud à soir, dit Jérémie.

— Ouais. On y va! approuva Gatien en jetant un dernier regard sur le rapide menaçant.

Dans la baie où ils avaient passé la nuit, la douzaine d'hommes qui les accompagnait achevait de préparer les cribes. Avant de franchir un gros rapide, on «démanchait» le train de bois, séparant chaque radeau qu'on descendait un à la fois. On utilisait les chaînes pour arrimer solidement tout ce qui aurait pu être perdu : outils, ancres, canots, provisions et cabanes.

Une cage constituait un véritable village flottant. Un des cribes servait de «cookerie» : sur cinquante centimètres de terre tassée, le cuisinier faisait un feu protégé par un toit de fortune. Au menu : soupe aux pois, fèves au lard et crêpes. Sur d'autres radeaux, des petites cabanes pouvant accueillir deux hommes étaient érigées avec de l'écorce tendue sur des cerceaux de branches flexibles. Enfin, toute une quincaillerie d'objets utiles et des embarcations d'appoint complétaient l'équipement.

— Ça va passer! déclara Gatien. L'eau est haute et le courant est fort. J'vas en descendre une avec Jérémie, Jules pis Benjamin. Vous allez attendre qu'on revienne; on vous dira si on a pris le bon chemin.

Ils en avaient pour la journée : vingt-cinq cribes à conduire dans le rapide, un par un.

Une demi-heure plus tard, les quatre hommes, debout sur leur radeau, s'approchaient de la grande veine d'eau. Deux rameurs à l'avant, Gatien Claude et Benjamin Sauvé, et deux à l'arrière, Jérémie Claude et Jules Ladouceur.

— Tu vas voir, mon jeune, ça va brasser! cria Gatien à ce dernier.

Gatien avait peur autant qu'il avait hâte. Il éprouvait pour les rapides une attirance empreinte de crainte, de respect mêlé d'agressivité. Il n'avait jamais pu s'expliquer ces sentiments contradictoires.

Quand ils furent bien sûrs de la direction prise par le radeau, Benjamin et

Gatien sortirent leur rame de l'eau et s'installèrent avec les deux autres à l'arrière. Les quatre voyageurs s'agrippèrent solidement à leur instrument; plus l'embarcation progressait, plus elle prenait de la vitesse.

De la presqu'île, les autres cageux observaient avec attention le parcours et les manœuvres effectuées. Dans moins d'une heure, ce serait leur tour...

Le cribe s'engouffra dans le rapide et disparut de leur champ de vision. Une seconde plus tard, il surgit dans les airs, propulsé par le rouleau rugissant. Il faillit se renverser.

À bord, Jules Ladouceur était terrorisé. Une énorme vague glacée avait balayé le radeau et l'avait presque projeté dans l'Outaouais.

Aussitôt le cribe stabilisé, Gatien et Benjamin repartirent vers l'avant avec les rames qu'ils insérèrent rapidement entre les traverses.

— Ramez! Bout d'torrieu! Ramez!! hurla Gatien.

Il fallait à tout prix revenir vers le bord de façon à entrer directement dans la deuxième coulisse d'eau bordée de rochers

massifs. De plus, l'embarcation devait y pénétrer en droite ligne : la largeur des cages était établie en fonction des rapides. Passer perpendiculairement assurait le naufrage ou, au mieux, abîmait considérablement le bois et ainsi le rendait invendable.

Les quatre hommes, avivés par l'eau froide et la menace imminente, redoublèrent leurs efforts et réussirent à placer juste à temps le radeau dans la deuxième «entrée». Cette fois-ci, Gatien et Benjamin n'eurent pas le temps de rejoindre leurs compagnons à l'arrière : le cribe piqua du nez aussitôt engagé. Ils se projetèrent sur le «plancher» et purent tout juste s'accrocher aux chaînes pour se retenir. Le radeau refit surface immédiatement et s'engagea à grande vitesse dans les «moutons».

Gatien et Benjamin reprirent leurs esprits et leur équilibre. Le reste de la descente s'effectua sans problème en dépit des vagues d'un mètre qui, à l'occasion, inondaient la plate-forme et trempaient les navigateurs jusqu'aux genoux. Cent mètres plus loin, ils trouvèrent une baie accueillante pour remiser l'embarcation.

— Jules, tu vas faire un gros feu, dit Jérémie Claude. Nous autres, on va r'monter par le sentier pis on va en descendre d'autres avec le reste des gars. Quand ton feu sera ben pris, tu r'monteras le sentier chercher les voiles; on va s'enrouler dedans pour se réchauffer.

Les cageux apportaient toujours de grandes toiles qu'ils attachaient parfois à leurs rames pour se fabriquer une voilure. En effet, sur de grands plans d'eau comme le lac des Deux-Montagnes ou le lac Saint-Pierre, on recourait à d'autres forces motrices que celle des bras. Si les remorqueurs à vapeur n'étaient ni disponibles ni en état de fonctionner, on montait les voiles et... on attendait le vent.

Une cadence de travail s'établit. Trois hommes réassemblaient le train de bois au fur et à mesure que les radeaux arrivaient, deux à la fois. D'autres se réchauffaient au feu et mangeaient tandis que les forces disponibles goûtaient au rapide. À chaque arrivée, les plus fatigués s'arrêtaient et d'autres prenaient la relève.

La journée se déroula ainsi sans incidents majeurs et prit rapidement l'allure d'une fête : les hommes étaient heureux de renouer avec la vigueur de la rivière, les sensations fortes et les émotions grisantes. Seule ombre au tableau, la «cookerie» ne résista pas aux secousses violentes. Seul son «plancher» arriva dans la baie, la terre et le toit ayant été emportés dès la première vague.

«Qu'importe, pensa Jérémie. À soir, on soupe à Rigaud.»

En fin d'après-midi, tous remontèrent sur la cage, prêts à naviguer encore jusqu'au prochain arrêt : la baie des Quesnel.

Le même soir,
à l'auberge

— Ça doit être eux autres qui arrivent, dit un individu de forte taille assis à une table en retrait.

Tous les clients s'étaient tournés vers la porte à l'entrée bruyante des cageux de l'île Bizard. Les accolades fraternelles avec les voyageurs des autres régions, qu'on n'avait pas vus depuis six mois, faisaient toujours l'objet de grands éclats de voix. Chaque printemps, la première descente était l'occasion de retrouvailles chaleureuses et colorées.

— Va voir Gatien Claude, reprit l'individu en s'adressant à un autre. Dis-lui que j'veux y parler à soir. Nous autres, on part demain matin d'bonne heure!

L'homme se retira de la table et alla souffler le message à l'oreille de Gatien, l'interrompant dans ses réjouissances. Ce dernier jeta un coup d'œil au fond de la salle et reconnut, en dépit de l'éclairage tamisé des chandelles, l'homme à qui il avait parlé quelques jours auparavant: Jos Montferrand.

Lors de son court voyage à la rivière du Lièvre, Jérémie Claude était arrivé trop tard: le géant était déjà parti. Cependant, à la Pointe-au-Chêne, Gatien avait remarqué des cages qui descendaient l'Outaouais. Il était allé à la rencontre des premiers cageux de l'année en canot. C'était Montferrand qui pilotait une cage de drames avec vingt-cinq hommes d'équipage.

Gatien lui avait expliqué ses appréhensions concernant le vol du bois à Rigaud. Montferrand lui avait promis de l'attendre sur place et de tenter d'enrayer cette perte annuelle pour tous les cageux.

Gatien Claude traversa la salle à manger d'un trait et alla le saluer.

— Content de vous r'voir, monsieur Montferrand! Et pis, les voleurs...?

— Et pis..., rien, Gatien! On n'a pas perdu un arbre. J'ai des hommes cachés partout dans la baie, vingt-quatre heures par jour. On n'a vu personne. J'ai même quatre gars de l'autre côté de l'Outaouais qui surveillent toute la nuit...

— Ousse qu'y sont, ces voleurs-là? Y ont-y gelé c't'hiver?

Après avoir bien ri, le géant lui dit:

— Ça meurt pas, ce monde-là, Gatien. Ou ben on les a pris par surprise pis y sont pas prêts, ou ben y nous attendent ailleurs. Va falloir être prudents tout le long.

Gatien se dit en lui-même que si un endroit était sûr, c'était bien chez lui, à l'île Bizard.

— On part demain matin au lever du soleil, reprit Montferrand.

— Nous autres, on sera pas prêts avant midi. Faut r'faire la cookerie...

— Ça a passé raide dans le Long-Sault?

— Pas mal raide, oui. L'eau est haute.

— Ça nous a pris deux jours pour passer nos soixante...

— Soixante? Soixante drames? dit Gatien, ébahi.

Lors de leur première rencontre, il n'avait pas pris la peine d'évaluer la longueur de la cage, préoccupé qu'il était par les voleurs de bois.

— L'an passé, reprit Montferrand, y a un gars qui a descendu cent cribes! Y avait deux mille cinq cents plançons là-dedans et trente-cinq hommes avec lui.

— Ça a pas d'allure, dit Gatien.

— J'te dis qu'y a fait la piasse rendu à Québec!

Puis, revenant à leur sujet de discussion :

— Écoute, Gatien : à chaque place où on va arrêter, j'vas t'laisser savoir si l'endroit est sûr. Si on se fait voler, j'vas attacher un foulard rouge en haut d'un arbre; tu pourras pas l'manquer. Ça voudra dire de pas arrêter là ou de sortir vos fusils. Pis manquez-les pas si c'est ça que vous faites! Là, y faut que j'te quitte : c't'à mon tour d'aller garder au bord de l'eau. À la r'voyure, mon Gatien!

— Merci, Jos, merci de nous avoir attendus. On va pouvoir dormir en paix c'te nuit, pis on en a ben besoin...

— Y a pas de quoi! Viens-t-en, Arthur.

Les deux hommes sortirent discrètement.

Gatien Claude ressentit tout à coup une grande fatigue et se demanda si l'aubergiste avait des vêtements secs à sa taille : il avait beaucoup engraissé pendant l'hiver...

VIII

«LES CAGES ARRIVENT...!»

Trois jours plus tard,
à l'île Bizard

— Il va pleuvoir encore, petite misère.

Émilie Sauvé était assise en haut du Pain de Sucre et scrutait l'horizon. À l'ouest, de gros nuages s'avançaient au-dessus du lac des Deux-Montagnes; heureusement, il leur faudrait encore quelques minutes avant de cacher le soleil et elle pourrait profiter un peu de ses rayons.

Depuis deux jours, la pluie n'avait pas cessé, ce qui avait rendu impossible le travail au champ, au grand soulagement des initiés de la Pointe-aux-Cageux qui ne s'étaient pas revus depuis leur excursion en radeau : les travaux intensifs des semis avaient commencé dès le lendemain.

Ce matin-là, le soleil avait timidement percé. Les cultivateurs donnèrent néanmoins congé à leurs enfants, les terres n'étant plus que de vastes étendues boueuses. Spontanément, chaque apprenti cageux s'était rendu à la pointe, assuré d'y retrouver les autres. Tous l'avaient fait, sauf Émilie qui préféra aller «se reposer la tête» sur la butte; la Fouine le dirait aux autres.

C'est à lui qu'elle pensait en ce moment, ce curieux frère qu'elle ne connaissait pas, tout compte fait. Elle cherchait à comprendre comment un observateur comme lui, capable de dénicher un coffret sous une souche, pouvait oublier si facilement ce qu'il en avait fait.

Après le départ de Félicité Laurin, ils étaient retournés sur l'île de son frère et n'avaient rien trouvé.

— Je ne sais plus où je l'ai mis, avait-il dit candidement, comme si la chose était sans importance. Je le trouverai bien un jour...

Émilie était furieuse. Elle aimait bien cette Félicité Laurin qu'elle n'avait rencontrée que quelques fois; elle l'admirait et jugeait important de l'aider à récupérer son trésor perdu.

Elle avait bien envie d'aller seule faire des recherches, aujourd'hui même, d'apporter une pelle et de creuser des trous partout sur «sa maudite île»... Mais les nuages revenaient et le radeau était maintenant ancré dans la Pointe-aux-Cageux. Elmire avait bien un canot, mais elle ignorait où il le cachait. «Il va finir par le perdre avec», se dit-elle en souriant.

Comme la pluie paraissait maintenant inévitable, elle se leva et jeta un dernier regard attendri sur le printemps naissant. Elle aperçut une petite fumée blanche montant de la Pointe-aux-Cageux : «Tiens, je vais aller voir s'ils m'ont laissé du pain.» Elle se tourna à nouveau vers le lac. À l'ouest aussi, au loin, de la fumée montait vers les nuages. Émilie ne comprit pas tout de suite; puis, ce fut le choc : elle se dressa sur la pointe des pieds, debout sur la roche la plus haute, se frotta les yeux pour s'assurer que ce n'était pas un mirage et observa l'horizon avec attention. Son cœur se mit à battre plus vite.

Ce qu'elle considéra d'abord comme le fruit de son imagination s'avérait bien réel : la fumée se déplaçait sur le lac. «Les cages arrivent..!», pensa-t-elle. Puis, à haute voix : «Les cages arrivent! Les cages arrivent! Faut... il faut que j'aille leur dire...!»

Elle courut, s'accrocha au câble et descendit d'une traite jusqu'en bas, sur le toit de leur cabane... qu'elle défonça. Elle en sortit aussitôt, négligeant ses égratignures, sauta sur son cheval et partit à vive allure vers la Pointe-aux-Cageux.

Une catastrophe

«Vous ne savez pas quoi? Vous ne savez pas quoi?» cria Émilie, en arrivant sur la presqu'île.

Sans descendre de son cheval, elle se rendit directement au feu autour duquel ses amis étaient assis.

— Les cages arrivent! leur dit-elle. Les cages arrivent!

Personne ne réagit, personne ne bougea.

Comprenant que quelque chose de grave s'était passé, elle se tut, descendit de cheval et s'approcha du groupe. Leur silence la troublait.

— Que... que se passe-t-il? demanda-t-elle à voix basse.

— On s'est fait voler le radeau, répondit Félix sans quitter la flamme des yeux. Et puis, si tu veux le savoir, les cageux sont déjà passés. Regarde!

De sa main droite, il balaya la pointe. Il était visible en effet qu'un groupe d'hommes était venu : beaucoup de traces partout, des contenants vides, des foyers ici et là.

— Ils ont dû passer hier ou avant-hier, dit Onézime. Ils sont probablement partis avec le radeau, ajouta-t-il, résigné. Dire qu'on l'a halé jusqu'ici...

— Ben voyons donc! dit Émilie. Ça n'a pas de sens de partir avec ce vieux bois-là qui a traîné dans l'eau pendant un an...

— Tu as juste à le planer un peu et il revient comme frais coupé. La Fouine avait commencé à le faire, lui répondit Félix.

— Où il est, Elmire? demanda Émilie.

— Il est parti, répondit François-Xavier. Il avait la «falle basse» pas mal... Il a dû retourner à son île.

— Il y a d'autres cageux qui s'en viennent, tu dis? demanda Moïse.

— Euh... je ne sais pas. J'ai vu le Oldfield faire du remorquage sur le lac. Je

pensais vous apprendre une bonne nouvelle...

Émilie avait perdu toute sa bonne humeur, tout son entrain : le projet était
compromis. Comment demander aux cageux de participer à leur descente alors
qu'ils volaient leur propre radeau ?

L'arrivée des premières gouttes de pluie
contribua à assombrir cette journée de
malheur.

— On ferait mieux de partir, dit Émilie.
Ça ne donne rien de rester ici.

Félix lança une dernière branche dans
le feu.

— C'est ben maudit, dit-il. C'est ben
maudit !

Une larme perlait sur sa joue. Émilie
s'approcha et passa son bras par-dessus
ses épaules musclées.

— Viens, dit-elle. On va aller en parler à
la cabane.

Du même coup, elle repensa au toit
qu'elle venait d'enfoncer. Elle préféra
attendre un peu avant de lui en faire l'an-
nonce.

Ils s'approchaient de leurs montures lorsqu'ils entendirent le galop d'un cheval. Nul doute, c'était quelqu'un de pressé.

— Encore un feu de trop, soupira Onézime, redoutant l'arrivée d'un de leurs parents.

Le cavalier prit le dernier virage de la pointe et surgit subitement. C'était la Fouine.

— La Fouine! Qu'est-ce que tu fais avec ce cheval-là? lui demanda Félix, étonné.

Elmire Sauvé semblait en proie à une vive colère.

— J'ai retrouvé le radeau, dit-il sans répondre à Félix. Il est... il est au moulin du Crochet, dans la baie, ajouta-t-il à bout de souffle.

Ses compagnons l'écoutaient, attendaient la suite. Il descendit de cheval et poursuivit rapidement :

— Il y a plein de gros radeaux dans la baie; six ou sept. Le nôtre aussi. En plus, il y a du monde sur mon île : j'ai vu un feu... Ça doit être des cageux qui sont restés ou qui veulent passer du côté de Sainte-Geneviève.

Il s'assit sur une roche, encore tout excité.

— C'est à qui le cheval? demanda François-Xavier.

— Ça doit être à eux autres. Il y en avait trois attachés près du moulin; je me suis dit que s'ils prenaient mon radeau sans permission, je pouvais bien prendre un de leurs chevaux...

— Ouais, fit Onézime. Tant qu'à ça, tu as raison.

— Moi, je ne comprends pas, fit Émilie. C'est des cageux ou des cavaliers? Ça peut pas être les deux! Et puis, pourquoi ils seraient venus chercher le radeau? Pourquoi le remonter jusque là-bas?

Les questions étaient troublantes et personne ne trouvait d'explications. François-Xavier, que la pluie dérangeait, jeta un coup d'œil vers les nuages.

— C'est quoi ça? demanda-t-il sans baisser la tête.

Au faîte d'un gros orme flottait un foulard rouge...

La méprise

Félix entreprit l'ascension de l'arbre. L'objet n'était pas là quelques semaines auparavant et il voulait en avoir le cœur net. Regroupés au pied de l'orme, tous le regardaient monter. Très agile et muni de longues jambes, il progressait rapidement.

— Qu'est-ce que vous faites ici? cria une voix rauque qui les fit sursauter.

Ils se tournèrent vers l'homme corpulent qui se tenait derrière eux et qui avait l'air malfaisant. François-Xavier se faufila derrière ses compagnons et se cacha derrière le gros arbre.

— Toi, descends de là! dit sévèrement l'homme à Félix. Qu'est-ce que vous faites ici? redemanda-t-il.

Émilie avança d'un pas :

— Et vous? lui dit-elle. Nous sommes chez nous, ici.

Elmire, encore en colère, prit la parole :

— C'est vous qui avez volé mon radeau?

Le gros homme ne s'attendait pas à de telles répliques. Il recula quelque peu.

— Ton radeau? Quel radeau? Je n'ai rien pris à personne, moi. J'suis venu chercher...

Ils ne l'écoutaient plus. Derrière le colosse, François-Xavier, qui avait réussi à contourner la scène, se rapprochait du voleur. Il se plaça à quatre pattes tout près de ses talons. Moïse et Onézime, comprenant son manège, se précipitèrent sur l'intrus qui tomba à la renverse. Il n'en fallut pas plus aux aventuriers pour se jeter sur lui, bien décidés à lui faire payer son crime.

— C'est assez! Arrêtez IMMÉDIATEMENT! cria une voix qu'ils reconnurent tous sans peine. Relevez-vous! ajouta Félicité Laurin arrivée pendant l'échauffourée.

À genoux ou étendus sur l'homme qui se débattait, les guerriers cessèrent aussitôt les hostilités et se relevèrent l'un après l'autre sans que l'individu ne bouge.

— Qu'est-ce qui vous prend? continua l'institutrice.

— Il a volé notre radeau! lui cria Félix, dont la chemise s'était déchirée au cours du combat.

— Félix Brayer, vous me devez respect en tout temps, je vous interdis de crier!

Félix se demandait bien pourquoi, elle, elle en avait le droit, mais il n'osa pas le lui demander.

Émilie lui expliqua ce qui s'était passé depuis leur dernière rencontre au moulin du Crochet. L'homme, assis par terre, écouta attentivement son récit.

— Et qui vous dit que c'est cet homme qui a pris votre radeau? demanda Félicité Laurin quelques minutes plus tard. Vous l'avez vu sur votre île, Elmire?

— Non, mademoiselle, répondit-il, contrit.

— Alors?

— Alors, ce n'est peut-être pas lui, admit Moïse péniblement.

L'homme souriait.

— Est-ce que vous savez qui est cet homme? reprit-elle, haussant légèrement le ton. C'est Jos Montferrand! Et il a descendu des cages avec mon père.

Puis, se tournant vers lui :

— Excusez-les, monsieur Montferrand. Ces enfants vivent parfois dans leurs rêves et ne vous ont pas rendu le respect qu'ils vous devaient. Ils se sont énervés pour rien. Je suis confuse... Ce sont mes élèves, vous savez, et...

— Mais non, mademoiselle, interrompit le visiteur, séduit par les grands yeux bruns de l'institutrice. Ce fut bien amusant cette bousculade. Vos enfants savent beaucoup de choses qui m'intéressent... Ils auront bientôt l'occasion de réparer leur faute.

— Que voulez-vous dire?

— Vous savez, mademoiselle, les radeaux qu'Elmire a vus à c'moulin du Crochet, ce sont *mes* radeaux, que j'ai assemblés moi-même et que j'me suis fait voler la nuit passée en même temps que l'sien...

Soudain, Émilie qui s'était éloignée du groupe cria :

— Onézime, viens voir! Viens voir! C'est Jules! Les cages arrivent! Elmire, viens voir le cousin Benjamin!...

IX

Tous se préparent

Sur l'île de la Fouine

— La nuit va tomber, dit Omer Mérineau. Faudrait aller voir si d'autres cageux
sont arrivés.

— Je vas y aller, dit Alfred.

Puis, regardant de l'autre côté de la
baie :

— Omer! Hector! Y manque un cheval...!

— T'es sûr de ça? demanda Omer en se
levant.

— Ben oui, on dirait qu'y en a juste
deux, confirma Hector.

— Y aura été mal attaché, dit Alfred. Va
falloir être plus prudent; si ce cheval-là se
promène partout, on va finir par attirer
l'attention. À l'avenir, on les mettra sur un
radeau pis on les passera sur la p'tite île
avec nous autres.

Alfred monta sur l'embarcation de la Fouine et traversa jusqu'au moulin du Crochet. À mi-chemin, il cria à ses frères :

— Arrangez-vous pour être parés quand j'vas r'venir!

Omer et Hector se rassirent devant leur feu.

— J'me demande ben c'qu'y faisaient sur c't'île-là, dit Omer. C'est plein de vieilleries partout...

— Y devaient s'en servir en même temps que l'moulin, pis y venaient porter icitte c'qu'y avaient pas de besoin, supposa son frère.

— Oui, mais mettre des chaînes dans des arbres... J'comprends pas, Hector, j'comprends pas. Tu fais pas deux pas sans trouver quec'que chose : tu vois un arbre creux, y a des pieux dedans; y a une souche qui r'sort, y a de quoi de caché en dessous... Ah, pendant que j'y pense, as-tu réussi à ouvrir la p'tite boîte?

— Non. Je l'avais oubliée, celle-là. J'vas la casser avec une roche.

Hector, par hasard, avait trouvé le coffret de plomb caché par la Fouine. Contrairement à ce que celui-ci pensait, il ne l'avait pas enterré au pied d'un arbre; il l'avait plutôt dissimulé sous une souche, de la même façon qu'il l'avait trouvé, pour s'en rappeler...

— OMER! Viens voir!

Hector tenait le coffret ouvert sur ses genoux.

Pendant ce temps,
à la Pointe-aux-Cageux

— N'ayez crainte, monsieur Montferrand, je serai là demain soir, dès six heures. Maintenant, je dois partir, il se fait tard.

Félicité Laurin était heureuse de participer à la capture des voleurs de bois. Le rôle qu'elle aurait à jouer serait efficace et sans risque.

Son père lui avait souvent parlé des dangers qu'affrontaient les cageux et de leur découragement quand ils perdaient du bois. Elle était contente d'alléger les difficultés d'autres hommes qui trimaient dur comme lui. «Ils n'y verront que du feu», se dit-elle en souriant.

Depuis une heure déjà, Jos Montferrand expliquait le plan qu'il avait en tête et ce que chacun aurait à faire le lendemain, à la brunante.

— Y faut, disait-il, que l'histoire fasse le tour de tous les comtés et de tous les villages. Y faut qu'à l'avenir les voleurs de bois aient peur! On va les faire sortir de leur cachette et les prendre au bout de l'île, à la sortie du rapide. C'te nuit, on laisse personne sur la pointe...

— Y vont prendre mes cribes, opposa Gatien.

— Tu vas les r'avoir demain soir, tes cribes, mon Gatien, répliqua Montferrand. Y faut qu'y continuent de se sentir en confiance. Y pensent que chez vous y risquent rien, pis y en profitent. C'est par là qu'on va les poigner, les maudits!

Puis, se tournant vers la Fouine :

— L'as-tu laissé là-bas, ton poney?

— Non. Je l'ai ramené. Je l'ai laissé à la ferme en passant.

— C'est ben correct de même. Vous autres, les jeunes, on va se voir demain matin. Vous voulez descendre le rapide? Ben, vous allez le descendre avec moi pis Gatien! On va avoir besoin de monde, vous allez nous aider.

— Qu'est-ce tu veux faire, Jos? demanda Arthur, son compagnon resté à l'île Bizard avec lui.

— Les capturer, Arthur, les capturer!... On va les forcer à descendre la rivière des Prairies de l'autre côté de l'île. Nous autres, on va descendre le rapide pis on va les attendre à l'autre bout. On va avoir juste à les ramasser...

Les initiés se consultaient du regard. Un sentiment de plénitude les envahissait : leur rêve se réalisait. De plus, les conditions qui s'annonçaient agitaient des papillons dans leur ventre : prendre, en compagnie de deux héros de rivière, Gatien Claude et Jos Montferrand, ceux qui s'étaient emparés de leur radeau.

Comme la noirceur approchait, ils se levèrent et, après avoir salué tout le monde, ils quittèrent la pointe se promettant d'y revenir dès la première heure, le lendemain.

Sur la presqu'île, il ne restait plus que Gatien Claude, son cousin Jérémie, Jules Ladouceur, Benjamin Sauvé et les deux cageux de la Lièvre. Les autres cageux de l'île, ignorant l'entente concernant le foulard rouge, étaient partis dans leur famille dès l'accostage : Gatien ne leur en avait pas parlé, estimant que le géant de l'Outaouais avait voulu lui faire une blague.

— On va aller parler de ça chez nous, dit Gatien. J'commence à avoir hâte de voir ma femme pis mes enfants.

Chemin faisant, ils continuèrent de planifier l'opération du lendemain.

— Comment tu vas faire pour les faire partir de là-bas? demanda Arthur. Qu'est-ce qui te dit qu'y traverseront pas au Cap Saint-Jacques ou à Sainte-Geneviève?

— J'viens d'arranger ça avec mademoiselle Laurin, répondit Montferrand. Aie pas peur, y traverseront pas! Pis pour les faire quitter la place, ben, Jérémie pis Jules pourraient peut-être aller dérouiller leur fusil dans ce coin-là?...

— Pis moé? demanda Benjamin Sauvé qui se sentait un peu mis à part.

— Tu vas faire la même chose que la maîtresse d'école, mais ici, à l'île Bizard.

— Qu'est-ce que j'vas avoir à faire?

— Tu vas prendre tous les autres cageux avec toi, pis tu vas les amener... Écoutez! Y a un cheval qui arrive...

D'instinct, ils se cachèrent dans les buissons, au cas où le visiteur serait l'un des voleurs.

Ils furent bien inspirés. En effet, Alfred Mérineau apparut quelques secondes plus tard; il se rendit au bout de la pointe et arbora un large sourire à la vue de la cage abandonnée. Il repartit au galop en direction du moulin du Crochet.

— J'ai jamais vu ce gars-là, Jos, dit Gatien Claude. Y vont v'nir à soir...

— Laisse-les faire, Gatien, laisse-les faire, répéta Montferrand. Tu vas voir, y perdent rien pour attendre...

Ils reprirent prestement leur route, plus déterminés que jamais à coincer ces voleurs audacieux.

Le lendemain matin

— Y m'ont pris cinq cribes, Jos.

— C'est parfait comme ça mon Gatien, c'est parfait comme ça. Y est-y marqué, ton bois?

— Ouais. Chaque plançon.

— Bon. Ça nous servira de preuve.

— T'es sûr que ça va marcher, Jos?

— Pas de doute là-dessus, mon Gatien. Viens m'aider, on va préparer les cribes. Qu'est-ce qui font, les jeunes? Y arrivent pas?

— Ça fait longtemps qui sont arrivés, eux autres... R'garde au bout de la pointe là-bas. Y discutent. J'te dis qu'y sont contents, y portent pu à terre.

— Va les chercher, y vont travailler avec nous autres. On va leur montrer des manœuvres.

— T'es sûr qu'y a pas de danger pour eux autres, Jos? Ces bandits-là sont probablement armés...

— Rendus au bout de l'île, y auront pu d'armes, Arthur va voir à ça. Fais-moi confiance, ça va ben se passer.

— On pourrait vous parler, monsieur Montferrand? demanda la Fouine qui s'était approché discrètement.

Les deux gros hommes sursautèrent. Elmire l'invita du geste à se joindre au groupe resté en retrait.

— J'vas aller tout de suite aux radeaux, dit Gatien en s'éloignant. Vous viendrez me r'joindre quand vous aurez fini votre parlottage...

La Fouine et Montferrand rejoignirent le groupe assis autour du feu qu'Émilie venait d'allumer.

— On a quelque chose à vous proposer, monsieur Montferrand, commença-t-elle.

— Appelez-moi donc Jos comme tout le monde, c'est ben moins compliqué. On s'est déjà vu de près de toute façon... Qu'est-ce que vous voulez me proposer?

Les initiés parlèrent longtemps avec le géant de l'Outaouais pendant que Gatien, seul sur les radeaux, s'impatientait. Il jeta un regard en leur direction et vit Montferrand qui semblait danser autour du feu avec les jeunes.

«En plus, y trouve le temps de s'amuser à matin, lui...!» s'étonna-t-il.

À Sainte-Geneviève

— C'est important, mon oncle...

— Oui, mais y as-tu pensé, Félicité? Vingt hommes! Ça se trouve pas de même, en pleins semis à part de ça!

— Fais-le pour ton frère. Lui aussi était cageux... Écoute : tout ce que tu as à faire, c'est de demander aux fermiers de se rendre au bout de leur terre, au bord de la rivière. Ça va leur prendre juste une heure...

— Je vais voir ce que je peux faire, finit par conclure le curé en esquissant un sourire rassurant.

— Merci, mon oncle! Merci, mille fois! Vous viendrez aussi?

— Oh oui! Et avec mon fusil!

— Bon! Moi, je pars pour le Cap Saint-Jacques. J'en ai pour la journée à travailler dans le bois. Oubliez pas : à six heures, juste après l'angélus...

— J'oublierai pas, ma nièce.

Une longue journée

Ce jour-là, chacun trima dur.

Benjamin Sauvé fit la tournée de chaque famille où un cageux s'était réfugié, expliquant le vol des cribes et le plan de Montferrand. Ils n'étaient pas tous d'accord et il dut faire preuve de doigté et de persuasion pour les convaincre de se rendre aux rives vers cinq heures, plutôt que d'aller faire un mauvais parti aux voleurs qui dormaient paisiblement au moulin du Crochet.

Pendant ce temps, à la Pointe-aux-Cageux, Gatien Claude, Jos Montferrand et les initiés s'affairaient à attacher les radeaux les uns aux autres, le plus près possible, de façon à n'en faire qu'un seul, immense. Pas question de les descendre séparément : le temps disponible ne le permettait pas. Seul Montferrand avait descendu un cribe en après-midi «pour essayer le rapide».

Onézime et Félix transportaient des branches sans arrêt. Montferrand prenait les plus longues et les attachait ensemble avec des harts[17] alors qu'Émilie coupait les autres à la hache. Moïse et François-Xavier, eux, apportaient de la terre et érigeaient des monticules çà et là sur la grande surface flottante. «C'est de la folie pure, marmonnait Gatien, on pourra jamais manœuvrer ça...»

— Pour quoi cé faire toute c'te terre-là? demanda-t-il, cherchant à comprendre la stratégie.

— Pour maintenir le balan, mon Gatien, pour maintenir le balan...

17. Hart : solide branche verte flexible utilisée pour l'assemblage des cages.

— Pis les branches?

— Ça, c't'une surprise!

— Écoute, Jos, la surprise, c'est qu'on va toute se r'trouver dans l'fond de la rivière à soir!

— Ben non! Ben non! Ces enfants-là sont délurés; ça va être les meilleurs cageux que l'île aura pas fournis. Tu vas voir...

— Ouais, fit-il, résigné.

Pendant que Gatien se tourmentait, la Fouine faisait le guet au Pain de Sucre pour prévenir une arrivée inopportune des voleurs de bois. Il profita de cette longue attente pour tailler une réserve de pierres de feu.

Puis, finalement, le soir arriva...

X

LA DESCENTE INFERNALE

Sur l'île de la Fouine

— Avec tout c't'argent-là mon ti-Fred, on pourrait arrêter de voler du bois!

— Neuf mille livres... Qui c'est qui a pu cacher ça icitte? se demandait Hector. Ça doit faire longtemps : ça existe pu. les livres...

— Ça veut-y dire qu'on va rester pognés avec? demanda Omer.

— J'pense qu'on peut en changer encore, répondit Alfred. On va essayer en allant un p'tit peu partout...

— Hé! C'est quoi ça, là-bas...? interrompit subitement Omer.

Sur la rive du moulin du Crochet, dans la brunante, un feu s'embrasait. En quelques secondes, une haute colonne de flammes inquiétantes monta vers le ciel.

Au même moment, les cloches des églises de Sainte-Geneviève et de l'île Bizard résonnèrent au loin...

— Tire, Jules, tire! Y r'gardent de notre bord.

Armés de huit carabines, Jules Ladouceur et Jérémie Claude tirèrent à répétition en direction de l'îlot sur lequel les trois voleurs étaient maintenant prisonniers.

— Y faut partir d'ici, Omer, vite! rugit Alfred Mérineau. Mets les chevaux sur un radeau. Hector, prends les fusils, tire sur eux autres. Moi, j'ramasse l'argent!

Puis, après une nouvelle décharge des carabines ennemies, il se ravisa :

— Omer, laisse faire les chevaux! On part! On part! Couchez-vous sur le radeau! Couchez-vous!

Les frères Mérineau étaient en proie à la panique. Une seule issue : la rivière. Destination : le Cap Saint-Jacques, en face.

Mais le son des cloches et le bruit des coups de feu avaient donné à Félicité Laurin le signal qu'elle attendait.

Elle alluma, presque simultanément, quatre immenses feux qu'elle avait dressés au bord de la rivière. Elle aussi déchargea une arme à quelques reprises en direction des fuyards.

— On peut pas aller par là, Omer. Arrête de ramer, on va se faire tuer... On va descendre la rivière et accoster plus loin.

Mais, plus loin, il y en avait d'autres...

Chaque cent mètres, tant sur les rives de l'île Bizard que sur celles de Sainte-Geneviève, des foyers géants s'allumaient spontanément et toute tentative pour s'approcher du bord était accompagnée de salves nourries faisant siffler les plombs aux oreilles des frères Mérineau. Ceux-ci, terrorisés, n'eurent d'autre choix que de descendre la rivière en plein centre, couchés à plat ventre pour éviter d'être touchés.

Soudain, leur crible heurta violemment un obstacle. C'était le chaland. Les trois voleurs se levèrent aussitôt, mais il était déjà trop tard : Arthur, le fidèle compagnon de Montferrand, avait sauté sur le radeau et les tenait en joue.

— Le premier qui bouge, dit-il sévèrement, je le transperce de plomb !

— Nous avons de l'argent, dit Alfred sur un ton suppliant. Nous pouvons vous payer... Nous vous remettrons votre bois... Pitié!...

— Écartez-vous! ordonna Arthur.

Ils reculèrent vers l'arrière du radeau. L'homme costaud ramassa leurs carabines et les jeta à la rivière.

— Quel argent? demanda Arthur.

Alfred Mérineau, les vêtements en lambeaux, lui tendit le coffret qu'il ouvrit.

— C'est une fortune! s'exclama-t-il. Où avez-vous volé ça?

— On l'a pas volé, dit Hector. Je l'ai trouvé là-bas, sur la p'tite île...

— Merci! fit Arthur malicieusement, en sautant sur le chaland.

Ils firent quelques pas pour le suivre.

— Halte-là! opposa Arthur. Vous restez là!

— Mais...

Il tira en l'air. Ils se jetèrent par terre à nouveau. L'allié de Montferrand en profita pour dégager le chaland, les obligeant ainsi à poursuivre leur course folle sur la rivière des Prairies.

— Qu'est-ce qu'on fait, Alfred? demanda Omer.

— On se laisse aller jusqu'à ce que ça soit plus calme. Y a des feux partout. Y ont r'commencé à tirer... Tout le monde crie. On peut pas se j'ter à l'eau, c'est trop froid...

De chaque coté de la rivière, les fermiers et les cageux s'amusaient à tirer le plus près possible du radeau à la dérive. Certains habiles tireurs, comme le curé de Sainte-Geneviève, réussirent à faire gicler l'eau tout près du radeau.

Pendant ce temps, à la Pointe-aux-Cageux, la cage aménagée quittait la rive. Aussitôt, les initiés aplatirent les monticules de terre et érigèrent une douzaine de petits feux qu'ils alimentèrent avec les branches coupées par Émilie.

— Qu'est-ce que vous faites? demanda Gatien.

— Laisse-les faire, ordonna Montferrand. Tu le sais ben, Gatien : la loi dit qu'on n'a pas le droit de naviguer la nuit sans feu... Viens ramer avec moi au lieu de t'en faire.

— Un feu, oui, mais pas douze!

— Viens ramer, mon Gatien, viens ramer. Tu verras tantôt, conclut le géant d'un air énigmatique.

L'énorme radeau formait un grand rectangle d'environ cinquante mètres sur trente. Au centre, un amoncellement de branches liées par Montferrand. Tout autour, les lueurs des foyers donnant l'impression qu'une partie du ciel étoilé flottait sur le lac des Deux-Montagnes. C'était du moins l'étrange spectacle qui s'offrait à la Fouine qui, du Pain de Sucre, regardait au loin le grand vaisseau quitter la terre ferme. «À moi de jouer, maintenant», se dit-il.

Il se leva promptement, descendit de la butte, monta sur le cheval des voleurs et partit à toute allure vers la sortie du rapide.

— Venez ramer, maintenant, dit Montferrand aux aventuriers.

Chacun avait une longue rame installée à l'arrière. Ils agitèrent à l'unisson les grandes pièces de bois, à un rythme régulier, donnant de la sorte une certaine cadence à l'embarcation.

— Continuez comme ça, dit Montferrand. Gatien, viens à l'avant.

Les deux hommes coururent la longue
distance sur les plançons bien éclairés par
les feux qui prenaient de la force.

— Ça va descendre..., dit Gatien, les
dents serrées.

— Ouais, approuva Montferrand. Y a
un p'tit vent qui se lève...

— On arrive, dit Gatien. Écoute!

En effet, le bruit de l'eau heurtant violemment les rochers leur parvenait de plus
en plus clairement.

— J'ai mal au cœur, dit François-Xavier
à son frère.

— Moi aussi, dit Onézime.

— Ayez confiance, les cageux! clama
Émilie qui cherchait à les réconforter.

L'embarcation pénétra dans l'étroit passage séparant l'île Bizard de l'île Jésus.
Subitement, elle prit de la vitesse. Grâce à
sa masse considérable, elle traversa le
rapide sans embûche si ce n'est un tan-
gage prononcé qui émut passablement les
initiés.

— C'est presque fini, les enfants! hurla
Gatien.

Montferrand scrutait attentivement la rive droite. À quelques mètres en avant, la rivière des Prairies rejoignait la fin du rapide : c'est précisément là qu'il voulait attendre les frères Mérineau.

— Allons à l'arrière, dit-il à Gatien.

Ils rejoignirent les aventuriers rivés à leurs rames.

— Alors, les jeunes, ça tangue? dit Gatien en sautillant.

Félix Brayer était vert et se demandait quel plaisir le gros homme pouvait bien éprouver à faire ce métier pendant tout l'été.

— Laissez-vous aller, reprit Gatien. On est presque rendus. Tenez, prenez vos ancres...

Au pied de chacun, une ancre attachée à un long câble soigneusement enroulé attendait d'être lancée.

Montferrand comptait immobiliser la grande plate-forme au milieu du point de rencontre des deux cours d'eau et ainsi bloquer le passage aux voleurs.

— On y est! cria soudain Gatien. Lancez-les!

Tous s'exécutèrent presque en même temps. Le radeau continua sa progression sur plusieurs mètres. Puis, une à une, les ancres touchèrent le fond et ralentirent quelque peu l'énorme masse de bois.

— Arrête-toé, chuchotait Montferrand. Arrête... Gatien, on va passer tout drett, maudit! Ça arrête pas!...

— Attends, attends, ça va accrocher, je l'sens. Y a de la grosse roche icitte...

Il n'avait pas terminé sa phrase que le radeau s'immobilisait complètement. De la rive, la Fouine les entendit crier leur joie.

— Je suis tout étourdie, dit Émilie.

— R'garde pas l'eau, dit Gatien. R'garde loin. La rivière passe trop vite, c'est ça qui t'étourdit.

— Qu'est-ce qu'il y a, au bord...? demanda Onézime, pointant du doigt la rive de l'île Bizard.

Un autre feu surgissait dans la nuit.

— C'est la Fouine, dit Montferrand. Je l'ai envoyé là pour...

Puis, s'interrompant lui-même :

— R'gardez là-bas!! Les v'là!! Allez à vos feux, les enfants!

Montferrand se précipita vers un foyer, en saisit une branche allumée qu'il lança très haut dans les airs. Sur la berge, la Fouine l'imita, confirmant ainsi la réception du message.

Sur leur radeau, les frères Mérineau qui commençaient à peine à se sentir en sécurité étaient médusés : en plein centre de la rivière, à cent mètres devant eux, un immense barrage de feux apparaissait.

— Maintenant! cria Montferrand aux initiés. Allez-y!

S'en donnant à cœur joie, les aventuriers et Montferrand sortirent des dizaines de pierres de feu des foyers. Ils lancèrent les projectiles le plus haut et le plus loin qu'ils purent en direction de l'embarcation des voleurs que le courant poussait vers eux.

Gatien resta figé pendant quelques instants : il se demandait comment ses compagnons pouvaient prendre tous ces tisons sans se brûler... Revenu de son étonnement, il saisit les deux carabines et tira plusieurs coups vers le ciel.

— Qu'est-ce que c'est que ça, Omer? Y nous lancent du feu...? On dirait que c'est des enfants...

— Attention!!

Une pierre rouge atteignit le cribe des frères Mérineau et roula dans la rivière. Les trois malfaiteurs étaient morts de peur, convaincus qu'ils se dirigeaient malgré eux vers de cruels sorciers.

— Regardez! dit Hector, qui ne savait plus où donner de la tête.

De la rive de l'île, un cribe surmonté d'une grosse roche rougeoyante se dirigeait vers le leur.

— Où on est, Alfred? Où on est? demanda désespérément Omer.

La pluie de pierres de feu se rapprochait de plus en plus alors que le cribe lancé par la Fouine passait juste devant eux, perpendiculairement. Ils se redressèrent pour observer la gigantesque pierre de feu encore fumante. Au même moment, un fil de fer attaché au radeau et à un arbre de la rive émergea brusquement de l'eau et se tendit en travers de leur route.

Ils n'eurent pas le temps de réagir et chutèrent dans la rivière glacée au milieu des projectiles brûlants qui les terrorisaient.

Une clameur s'éleva de la grande cage au milieu des coups de feu tirés par Gatien. Les trois voleurs, complètement terrifiés, atteignirent le grand radeau rapidement et furent hissés à bord. Pendant que Gatien pointait ses armes vers eux, Montferrand et les initiés conjuguèrent leurs efforts pour ériger une prison de bois dont le géant avait fabriqué les murs avec des branches, plus tôt dans la journée.

— Entrez là-dedans! leur dit-il durement. Vous aimez ça, les cages? J'vous en ai fait une, une cage... Pis vous allez descendre dedans à part de ça...

Cinq canots manœuvrés par Jules Ladouceur, Jérémie Claude, Benjamin Sauvé, Arthur et la Fouine arrivèrent jusqu'à eux. Croyant à une attaque subite, Gatien faillit décharger ses deux fusils sur eux.

— Comme ça, c'est eux autres, les voleurs..., dit Benjamin en contournant la minuscule prison où les trois frères étaient encore sous le choc.

— Tout le monde aux canots! ordonna Montferrand.

— Tu les laisses là? demanda Gatien.

— Non. J'leur paie un tour!

Quand tous furent montés dans les embarcations, Montferrand trancha un à un les câbles des ancres et sauta prestement dans le canot d'Arthur.

Aussi lentement qu'elle s'était arrêtée, la grande cage repartit doucement à la dérive vers Montréal, avec à son bord trois passagers qui trouveraient sûrement la nuit très longue.

— Adieu! leur cria-t-il.

— As-tu pensé au rapide du Cheval blanc? demanda Gatien.

— Certain que j'y ai pensé. J'te dis qu'y vont s'faire brasser... Y vont devenir aussi blancs que l'rapide! Ha! Ha! Ha!

— Mes cribes..., soupira Gatien.

— Fais-toi-z-en pas avec tes cribes, mon Gatien. Mes hommes attendent au rang des Batailleurs à l'Abord à Plouffe. Y vont les arrêter. J'aimerais ça être là quand y vont les voir arriver... Ha! Ha! Ha! Enlève-moi pas mon plaisir avec tes cribes. Tiens, j'te donne mes drames qui sont au moulin du Crochet, mon Gatien; j'suis trop content.

Quand la cage disparut de leur champ de vision, ils regagnèrent tous la rive en hurlant, évoquant déjà les moments les plus palpitants de cette capture et anticipant la longue fête nocturne qui s'annonçait.

Gatien en profita pour demander des explications à Montferrand.

— Comment vous avez fait pour lancer de la braise?

— C't'une sorte d'huile qu'on se met sur les mains... C'est les enfants qui ont trouvé ça, répondit-il sans trahir leur secret.

Au bord, Félicité Laurin arriva à cheval. Elle en descendit, replaça son châle de laine, raviva le feu abandonné par la Fouine et s'assit devant pour se réchauffer. À ses pieds, elle déposa un sac de cuir contenant un petit coffret de plomb qu'Arthur lui avait confié une demi-heure plus tôt. Elle se demandait bien ce qu'il pouvait contenir...

ÉPILOGUE

Le dimanche suivant,
à la Pointe-aux-Cageux

Le calme était revenu sur l'île Bizard. Les cageux étaient repartis quelques jours après cette aventure retentissante dont les échos se répercutèrent jusqu'à Rigaud.

Les travaux agricoles reprirent leur cours normal avec le retour du beau temps et on verrait bientôt les grands champs d'avoine et de blé onduler au doux vent d'été.

En ce dimanche paisible, les initiés de la Pointe-aux-Cageux revenaient d'une excursion de pêche sur le lac des Deux-Montagnes à bord du radeau de la Fouine qu'il avait récupéré le lendemain de la capture des frères Mérineau.

— Regardez au bord, dit Émilie. C'est Félicité Laurin.

Elle leur envoyait la main, debout à côté de son cheval.

Ils accostèrent et l'entourèrent rapidement.

— Mon oncle entreprend les travaux de réparations de son église la semaine prochaine, leur annonça-t-elle fièrement. J'ai voulu vous le dire en premier. C'est grâce à vous, après tout!

— Ça va-tu être long, ces travaux-là? demanda Félix.

— «Est-ce que», Félix. Vous oubliez toujours... Oui, ce sera long. Probablement tout l'été.

— On ira voir ça en radeau, dit Onézime. On fera une expédition...

— Vous me rappelez quelque chose, Onézime, l'interrompit l'institutrice. Si vous saviez quel horrible cauchemar j'ai fait la nuit dernière... Ça m'a tenue éveillée jusqu'au petit matin.

— Racontez-nous ça, dit Moïse.

Ils s'assirent sur les grandes roches plates de la Pointe-aux-Cageux et elle commença son récit.

— J'étais partie en «expédition», moi aussi, avec Émilie et François-Xavier.

Nous montions une haute montagne escarpée. Soudain, le sol s'est effondré sous nos pieds et nous sommes tombés dans un trou, comme dans une grotte. La caverne était tout éclairée par d'étranges roches lumineuses. Sorti de je ne sais où, monsieur Montferrand est arrivé en plein milieu de la place. Derrière lui, un énorme serpent rampait et s'approchait malicieusement. J'ai poussé un cri pour l'avertir... et je me suis éveillée. J'ai eu tellement peur... j'étais toute en sueur et j'avais même perdu mon bonnet de nuit!

— Quelle étrange histoire...! dit Émilie après un court silence.

Les initiés se consultèrent rapidement des yeux. Puis, comme tous semblaient d'accord, la Fouine prit la parole :

— Peut-être qu'un petit brochet grillé vous changerait les idées, mademoiselle, suggéra-t-il. Si on faisait un feu?

— Oh oui! approuva-t-elle. J'ai une faim de loup.

Ils se dispersèrent pour ramasser du bois. Discrètement, Elmire Sauvé se retira du groupe, enfourcha son poney et partit en vitesse vers le Pain de Sucre...

Ce qu'ils sont devenus...

En consultant le registre des recensements de la paroisse de Saint-Raphaël de l'île Bizard, on apprend que :

— en 1844, Benjamin Sauvé (25 ans) et Jules Ladouceur (27 ans) étaient cageux;

— Jérémie Claude le fut entre 1844 et 1880, année où il abandonna le métier de voyageur pour celui de journalier;

— Gatien Claude fut cageux pendant quarante ans, soit entre 1850 et 1890 environ;

— en 1851, Félicité Laurin (40 ans) enseignait à l'école nº 2 (au nord de l'île); son nom n'apparaît pas au recensement de 1861, ni plus tard;

— Elmire Sauvé, Félix Brayer (dit Saint-Pierre) et Onézime Ladouceur devinrent cageux vers 1871;

— François-Xavier Boileau le fut entre 1885 et 1890;

— son frère Moïse quitta l'île dans sa jeunesse pour s'établir à Oka, où il mourut en 1871;

— Émilie Sauvé quitta l'île, elle aussi, mais pour un destin inconnu;

— sur la liste électorale de 1899, il n'y avait plus un seul cageux à l'île Bizard...

Quant à Joseph Montferrand, il mit un terme à sa longue carrière de bûcheron et de cageux en 1857, après trente ans d'exploits et de dur labeur dans l'Outaouais. Il mourut à Montréal en 1864, dans sa maison de la rue Sanguinet.

Le site du moulin du Crochet existe toujours et fait partie d'un parc régional de la Communauté urbaine de Montréal. Par eau basse, un observateur tenace trouvera les fondations du moulin maintenant disparu.

La Pointe-aux-Cageux prit le nom de Pointe-aux-Carrières en 1893. La pierre de taille qu'on y trouvait en abondance incita des individus et des compagnies à l'exploiter à des fins commerciales. Certaines maisons de l'île Bizard furent construites avec ces pierres. On en transporta aussi par barge et par chaland jusqu'à Carillon lors de la construction du canal. Enfin, des pierres de la Pointe-aux-Carrières furent utilisées pour la construction du canal de Lachine, ouvert à la navigation à la fin du XIXe siècle. La Pointe-aux-

Carrières est située à l'extrémité nord du parc régional du Bois-de-l'île-Bizard (CUM).

Enfin, le Pain de Sucre serait «une brèche composée d'une pâte volcanique enrobant des fragments anguleux arrachés de la voûte ou des parois de la croûte terrestre». Ses dimensions ont considérablement diminué à la suite d'une exploitation commerciale (pierre de voirie) : cette colline aux pentes abruptes a une hauteur d'environ quinze mètres, une longueur de vingt mètres et une largeur de dix mètres. Une visite s'impose avant qu'elle ne disparaisse définitivement!

Pour en savoir plus

Histoire de l'île Bizard, Éliane Labastrou, Île Bizard, 1976, 296 pages;

Monographie de l'île Bizard, Jacques Girard, thèse de maîtrise, Université de Montréal, 1955, 109 pages;

À l'époque où les cageux s'arrêtaient à la Pointe-aux-Carrières pour parler loups-garous et chasse-galerie, Léon Trépanier, article paru dans le journal *La Patrie*, 13 février 1949;

Entrevues de résidents âgés de l'île Bizard; huit cassettes appartenant à madame Éliane Labastrou;

Les Cageux, Léon-A. Robidoux, éditions de l'Aurore, Montréal, 1974, 92 pages;

La Vallée aux grands chantiers, David Lee, article paru dans *Horizon Canada*, Vol. 1, n° 7, octobre 1984;

La Vie quotidienne au Québec («Mélanges à la mémoire de Robert-Lionel Séguin»), Presses de l'Université du Québec, 1983, 345 pages;

Le Boréal-Express (1810-1846), éditions Le Boréal-Express Ltée, Montréal, 163 pages;

Mémorial du Québec, tome 2, Société des
Éditions du Mémorial (Québec), Montréal,
1980, 375 pages;
Musée de la Banque de Montréal, Montréal.

Table des matières